¡Haz que pase ya!

*Cómo sacar tu negocio adelante en
medio de los obstáculos*

Leidis Yulieth Bedoya

¡Haz que pase ya!
Cómo sacar tu negocio adelante en medio de los obstáculos

Dirección de proyecto:
Leidis Bedoya

Edición:
Gisella Herazo Barrios para Hispanos Media Group

Diseño de cubierta:
Francisco Becerra
www.becerraweb.com

Diseño de maquetación:
Isa Reader

ISBN: 979-8-218-35608-8 Libro de tapa blanda
ISBN: 979-8-9901729-2-0 Audiolibro
ISBN: 979-8-9901729-1-3 Libro Electronico
Categoría: Finanzas, Autoayuda
Impreso en Estados Unidos

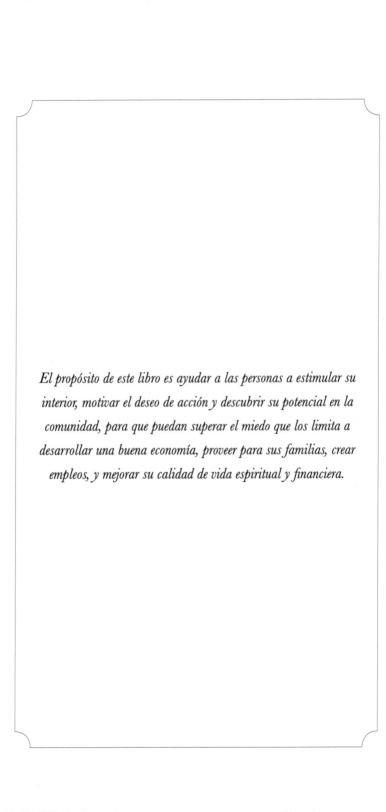

El propósito de este libro es ayudar a las personas a estimular su interior, motivar el deseo de acción y descubrir su potencial en la comunidad, para que puedan superar el miedo que los limita a desarrollar una buena economía, proveer para sus familias, crear empleos, y mejorar su calidad de vida espiritual y financiera.

Contenido

Prólogo:
Coach Digna Paulino, MBM, MCE, CCFP, CPFC

En el lienzo de la vida de un emprendedor, entre los hilos del tiempo y los susurros del propósito, encontramos esa eterna danza de posibilidades que nos invita a explorar, a desafiar, a crear y a crecer. *¡Haz que pase ya!*, no es solo un título, sino un llamado a la acción, un eco estrepitoso que resuena en cada página de esta obra. Es ese grito que te inspira a explorar todas las posibilidades, estimulando tu interior, motivándote a dar un paso adelante y elevar tu potencial al más alto nivel. Te lleva a superar el miedo que paraliza al momento de desarrollar un negocio y que te puede limitar a alcanzar tus objetivos.

En este viaje literario, con cuyo propósito me identifico, nos sumergimos en un océano de sueños, desafíos, descubrimientos y éxitos de su autora. Es un recordatorio de que la vida de un emprendedor es un lienzo en blanco, esperando a ser llenado con las pinceladas audaces de nuestras elecciones y acciones. A veces, el tiempo se convierte en un testigo paciente, pero también es un maestro implacable que nos insta a no postergar lo que realmente importa.

¡Haz que pase ya!, puede ser ese faro que ilumine la penumbra de la procrastinación, una invitación a abrazar la incertidumbre y a teñir tu vida con los matices vibrantes de la experiencia de la autora, que trae consigo el hacerte responsable y pasar a la acción. A medida que las páginas se despliegan, se revelan unas letras que aplauden el coraje de su autora para vivir de manera intencional y sin reservas, que te inspiran para alcanzar todo lo que te propongas.

Este libro, en cada palabra impresa, es un recordatorio de que cada capítulo de tu vida está esperando a ser escrito, cada día es una oportunidad para dar forma a tu propósito y negocio. Así que, te invito a sumergirte con valentía en estas páginas. Deja que la inspiración de su autora te envuelva y que la urgencia de hacer que suceda ¡ya!, te guíe a través de cada consejo, herramientas y recomendaciones que aquí se despliegan, porque, al final, lo que realmente importa no es solo lo que leemos, sino cómo dejamos que esas palabras transformen nuestra realidad, tu realidad.

Bienvenido a *¡Haz que pase ya!*, donde el poder de alcanzar tu propósito y éxito de tu negocio, aguarda ansioso.

Coach Digna Paulino, MBM, MCE, CCFP, CPFC

Fundadora de Liderando tus Finanzas

CEO de Equipa, Escuela de Liderazgo, Finanzas y Emprendimiento

Introducción:
Yo hice que pasara

M i país, Colombia, es una tierra maravillosa llena de tesoros y paisajes naturales. Un lugar que con el pasar de los años ha crecido y evolucionado significativamente, convirtiéndose en un referente en Latinoamérica. Sin embargo, en mi tiempo de infancia y adolescencia en ciertas zonas se vivía en un ambiente lleno de miedo e indcertidumbre.

Nací y crecí en un barrio muy humilde en la ciudad de Medellín. A mi corta edad era normal escuchar sobre bombas en el centro de la ciudad y violencia cerca de los lugares donde estaban familiares y amigos, y es por eso que en mi memoria hay grabadas muchas escenas en donde me veo orando y llorando para que no le pasara nada a mi padre. Mi mamá, por su parte, no me dejaba salir de mi casa más allá de lo estrictamente necesario, por miedo (cosa que entendí en mi edad adulta), así que desde mi pequeño encierro me permitía viajar, disfrutar y crear únicamente en mi mente. Yo no podía salir a jugar con mis amigos como otros niños que veía por la ventana, porque hacerlo era ponerme en riesgo desde el punto de vista de mi madre.

En Medellín hay barrios muy estables, bonitos y de altos recursos, pero donde yo vivía en aquella época lo que veía en la mayoría de las personas a mi alrededor era escasez; vivían pidiendo dinero prestado, fiando en la tienda y llenos de mucha necesidad. Era normal salir y ver a jóvenes drogándose en las esquinas, pasando horas y horas, sentados en grupo, hablando, sin un oficio notable, como si solo quisieran esperar que el tiempo pasara. Yo no sabía sus detalles personales, ni cómo empleaban realmente su tiempo, pero eso era todo lo que veía cuando iba de mi casa a la escuela. Notaba que era tristemente usual ver gente envuelta en drogas, matanzas o pandillas, como si esa fuera la única alternativa para «progresar». Percibía el conformismo en las acciones de algunas personas, y no entendía por qué se quejaban tanto en vez de buscar soluciones. Incluso notaba en este tipo de personas un resentimiento hacia cualquiera que le iba bien, aunque a aquellos les fuera bien por hacer las cosas diferentes, mientras que ellos se sentían sin opciones y no hacían nada para cambiar sus circunstancias.

Pero nada de eso limitó mi capacidad de soñar ni de anhelar un mejor futuro para mí, para mi familia y para aquellas personas que veían imposible salir de ese ciclo de escasez y limitaciones. Así que tomé la decisión de cambiar mi vida y mis finanzas, sin esperar las circunstancias perfectas, ni que otro lo hiciera por mí.

Trabajé fuertemente para ello, viviendo las experiencias que pensaba que a otros les podían ayudar antes de recomendarlas. Cada locura sana que quería hacer, la ensayaba y la lograba, produciendo beneficios para muchos. Comprobé que sí se podía y que aún hoy es posible salir adelante, a pesar de cualquier circunstancia, por difícil que sea, asumiendo los momentos de mayor dificultad con positivismo y entusiasmo.

Fruto de todo ese esfuerzo pude finalizar mis estudios, pagándolos por mí misma, cosa que tiempo atrás era impensable. Empecé a invertir mucho tiempo preparándome para ayudar a otros, a disfrutar y agradecer todas las bendiciones que comencé a recibir, activando la fe que me ha ayudado a no caer en momentos difíciles.

Sin querer y sin buscarlo, he aprendido a caer y levantarme con rapidez y buena actitud; he sanado mucho de lo que dolía, y he entendido que sin Dios no soy nada. He utilizado lo que sé hasta conseguir ser hoy alguien que maneja sus propios negocios e impulsa negocios de otros; alguien que crea y desarrolla proyectos difíciles de lograr; una mujer de fe que hace misiones visitando barrios de bajos recursos para dictar conferencias de cómo salir adelante y emprender, y que además, disfruta de una libertad financiera que nunca habría imaginado disfrutar. Realmente vivir con propósito no tiene precio.

Entonces, ¿qué hacer con toda esa experiencia? Lo mejor que cualquier persona puede hacer: compartirla. El compromiso y el peso de conciencia es muy grande como para guardarme tan gran tesoro. Así que, ¿por qué no hacer que esto tan valioso corra por todo el mundo? ¿Por qué no dar a otros la posibilidad de hacerlo? Goal # 3

Por eso hoy tienes en tus manos este libro, porque quiero ayudarte, de una forma práctica y concreta, a creer que si todo eso fue posible para mí y para muchos empresarios a los que he podido ayudar en este camino, también lo podrá ser para ti.

En este libro encontrarás los pasos que necesitas seguir para:

- Vivir de tu negocio.

- Estar preparado si en algún momento tu plan actual de supervivencia no funciona.

- Cambiar de ruta si te cansas o sientes que no has alcanzado alguno de tus sueños.

- Mejorar lo que tienes ahora.

- Y, si ya tienes todo lo que quieres, te sientes realizado con tus sueños y estás utilizando todos tus talentos, este libro también te ayudará a reafirmar lo que funciona entre la gente exitosa.

Todo lo que hay en él ha sido probado y respaldado a lo largo de mis más de veinte años de experiencia profesional. Encontrarás además evidencias y testimonios reales de personas que también lo han conseguido (a algunos de ellos les hemos cambiado los nombres para preservar su identidad), que te servirán de inspiración para que, desde hoy mismo, puedas trabajar en el cambio personal, espiritual, emocional y financiero que tu vida necesita.

Mi motivación principal ha sido el inmenso agradecimiento por haber salido de tantos obstáculos en los que es normal sentirse derrotado y no pararse más, momentos que llegan a la vida de cualquier persona donde no tenemos control de lo que nos pasa, pero sí de cómo salir, pasar a la acción y cambiar nuestra mentalidad para nuestro propio beneficio. Creo que **sí puedes** salir adelante, **sí puedes** materializar todos tus proyectos en medio de las dificultades. Te mereces ser feliz y disfrutar todo lo que te trae la vida, lo bueno y lo malo, de una forma positiva, si superas tus miedos y trabajas en tus debilidades.

Mi más grande deseo es escuchar de ti, como lo he venido escuchando de muchos otros valientes, que tu historia se pueda convertir en una historia de éxito. Deseo que logres alcanzar la vida que deseas, para que con frutos y autoridad podamos ayudar a otros a lograrlo.

No dejes pasar el tiempo, ¡HAZ QUE PASE YA!

1

Primera parte:
¡Tú tienes la llave!

Capítulo
UNO

EN BUSCA DE UN PROPÓSITO

C uando tenemos un sentido, una razón por la cual vivir, se crea en nosotros una motivación y un sentimiento de importancia en nuestro subconsciente. Es algo que ocurre dentro de cada persona y que muchas veces no entienden los demás. Es como si fuésemos creados especialmente para una misión en la vida que nos hace no tener tantos vacíos. Ese propósito nos hace entender que fuimos diseñados con amor, con talentos únicos, y con virtudes, que a veces nosotros mismos no reconocemos ni valoramos y que son requeridos para que valga la pena que ocupemos un espacio en esta vida. El propósito nos impulsa cuando la gente que amamos no nos apoya, cuando sentimos rechazo o abandono de otros, e incluso, cuando hasta nosotros mismos nos abandonamos. Es la respuesta a por qué estamos aquí y por qué somos así.

Focus

Cuando no hay un buen propósito por el cual luchar, queda el vacío y la soledad, y se confunden los caminos. Es entonces cuando, —en ocasiones, a las malas—, nos damos cuenta de que se han ido cumpliendo los sueños de otros, pero ¿y los nuestros qué?, ¿en dónde quedaron?, ¿se desvanecieron en lo temporal o hay un legado con lo importante que es nuestra vida? Todo, absolutamente todo, trae consecuencias y lo que hagamos de nosotros nos ayudará a salir adelante cuando lo necesitemos.

Vivir con propósito nos hace despertar con una felicidad interna que nos lleva a conocernos más y a hacer realmente aquello para lo que nacimos. Nos permite disfrutar y asumir retos con la seguridad de que lo podremos lograr porque hay un más allá, un porqué somos como somos. Cuando lo entendemos, cada trabajo que hacemos tiene mucha más importancia porque somos conscientes del efecto que producimos, pues hasta una sonrisa o una palabra pueden cambiar la vida de alguien.

Todos somos buenos para algo diferente y eso es maravilloso porque hace que nos necesitemos más y apreciemos lo que otros son capaces de hacer. Tenemos un propósito al haber nacido en la familia en la que nacimos, al ser parte de la nueva familia que tenemos, al pertenecer a nuestro círculo de amigos, y un gran propósito, además, con las personas que encontramos en la vida.

En mi caso, mi propósito ha sido determinado por un alto agradecimiento con Dios, por todas las bendiciones que me ha dado en una forma que excede todas las posibilidades humanas. Los milagros ocurridos en alguien tan normal como yo, aun en medio del dolor, despertaron en mi ser el profundo deseo de compartir lo que para mí ha funcionado. Entiendo que hay un propósito detrás del hecho de que en tantas áreas de mi vida me va como me va, y si no lo valorara, entonces no estaría tan segura de que valió la pena pasar por lo pasado.

Tener un propósito me impulsó a vivir por algo más grande que los problemas, la desmotivación, la soledad y la decepción pasada; me ayudó a tener la certeza de saber que, caminando tras él, contribuiría a mejorar la calidad de vida de muchas personas, impulsando a muchos a superar sus crisis financieras y a recuperar su paz. El querer ayudar me ha dado propósito, experiencia, conocimiento y guía. Esta vida es temporal y a veces nuestros miedos y nuestras emociones no nos dejan ver más lejos hasta que sabemos para lo que nacimos.

Cuando se vive con propósito y hay resultados, llegan las personas correctas. Uno se siente motivado al ver convertirse en realidad sus sueños y los de muchas personas.

Un buen propósito, sea el que sea, si se descubre y revela que hay una razón muy grande por la que continuar en esta vida, es el principal y más excelente motivador para emprender exitosamente.

> *¿Cómo podemos descubrir aquello que puede ayudarnos a nosotros mismos y a otros? Debemos preguntarnos: ¿qué potencial vemos en nosotros, con nuestro trabajo o nuestra vida diaria, que puede contribuir para ayudar a la comunidad a vivir con propósito?*

Necesitamos creer que es posible tener propósito con los sueños, ser felices haciendo lo que nos gusta, usando nuestros talentos y los regalos que Dios nos dio como parte de esa misión. Todos tenemos algo especial, que no es común, que es único, talentos que ni siquiera usamos, y que, muchas veces, no les damos la importancia que tienen.

El talento es la luz profunda, tu guía, tu grano de arena interno que te ayuda a determinar cómo puedes ser más feliz y cómo puedes vivir tu día a día. ¿Te has dado cuenta de que, a veces (y esto es un error), no le damos valor a lo que nos regalan, y solo cuidamos aquello por lo que hemos pagado o hemos luchado? Pues muchas veces eso ocurre con nuestros talentos.

Yo descubrí mi talento en los negocios y ahora siento el compromiso de dejar un legado con lo que he vivido, practicado y adquirido, pues creo firmemente que podré ayudar a muchas personas a través de mi propósito. Este es un tema muy interesante porque las finanzas son un área crucial en cualquier vida, ya que las malas decisiones pueden afectar considerablemente la vida de muchas familias y sus allegados.

Por lo tanto, si organizamos nuestra área administrativa, podremos tener un propósito que va más allá de lograr que nuestros hogares o nuestras vidas sean más fructíferas.

Historia de poder

Quiero compartirte la historia de alguien que encontró su propósito y su porqué a sus cuarenta y siete años. Se llama José y es el fundador y CEO de dos exitosas compañías en el área de propiedades vacacionales y remodelaciones para una compañía de inversiones.

José llevaba muchos años reparando y renovando casas. Sentía tanta **pasión** por ello, lo hacía tan bien y le daba tanta satisfacción ver la alegría en las personas a las que les había prestado sus servicios a lo largo de su vida, que, sin duda, entendió que ese era su propósito. Además de esto, ya a su edad quería sentir que podía trabajar en algo que le permitiera disfrutar de una mejor calidad de vida, en sus propios horarios, destinando más tiempo para estar con su familia.

Al inicio, su principal miedo era independizarse y fracasar, especialmente porque llevaba más de diez años en su último trabajo para otra compañía, ejerciendo de forma estable como ingeniero de ISP. Sin embargo, su propósito lo impulsó a tomar decisiones superando dificultades.

Una de ellas fue cuando decidió empezar el negocio de rentas vacacionales y le costaba encontrar clientes. Al no tener un modelo de rentas tradicionales y no disponer de tiempo suficiente para conseguir reseñas o hacer que el negocio se diera a conocer, esta era una tarea complicada para él. Pero José se dispuso a trabajar en áreas de mercadeo, aprendió cómo manejar el sistema para atraer a más personas, mejoró sus propiedades, y logró, en poco tiempo, igualar su salario anterior con la libertad y el propósito que quería alcanzar. Superó este obstáculo y empezó a rentar sus lugares vacacionales usando múltiples plataformas.

José hoy tiene más tiempo para estar con su familia y disfrutar de sus hijos, que es lo que siente que tiene más valor en su vida. El poder tener largas vacaciones con ellos y ser feliz con las personas que ama, para él no tiene precio. Además, como es dueño de su propio negocio, puede organizar sus horarios o delegar en su equipo siempre cumpliendo con excelencia a sus clientes, y a la vez, puede dedicarse a otros proyectos que le dan placer sin dejar de cumplir con todas sus responsabilidades. Él no siente ningún tipo de arrepentimiento, ya que se siente orgulloso de todo lo que ha logrado en tan poco tiempo.

Este empresario afirma que la mayor ventaja que tuvo para poder empezar, sumado a sus talentos y cualidades, fue la fe en Dios y la convicción de que si tenía un buen propósito, todo estaría bien. Él identificó su gran propósito, sus talentos y cualidades para tomar la decisión de qué negocio era único para él, y ante cada reto se preparaba para hacerlo bien y tomar experiencias en el futuro. Todo ello sin dejar de lado que es un fuerte y perseverante trabajador y un valiente innato, que no le tiene miedo a ningún tipo de proyecto, y si siente miedo, igual da el paso y las cosas le salen bien. También tiene una ventaja que le permite complacer a sus clientes con muy buena actitud para solucionar cualquier problema, porque es una persona naturalmente calmada y paciente con la característica de no dejar escapar oportunidades.

José siente la convicción que es buena idea tener tu propio negocio porque ha comprobado que sí se puede tener mejor calidad de vida para él y la familia. Utilizó su pasión, se movió a la acción y activó su fe, obteniendo resultados efectivos.

Sus consejos para alguien que ahora mismo no tiene trabajo o desea emprender un sueño son: «Primero, ten fe en Dios. Segundo, empieza por algo que te guste y en lo que seas bueno. Tercero, dedícale tiempo a tu negocio, especialmente cuando estás empezando. Cuarto, utiliza todas las herramientas gratuitas, como el internet y las redes sociales, para promover tu negocio o vender tu producto. Y quinto, sigue estos consejos. Con disciplina y dedicación, lo lograrás».

El propósito va de la mano con un buen plan, y un estudio de mercadeo en el área que escogiste, diseñado solo para ti y teniendo ese propósito incluido como prioridad. Este paso es importante para empezar tu proyecto con responsabilidad y diligencia.

> *Toma tu tiempo en encontrar tu propósito, y una vez encontrado, ese será el fuego que prenda tu motor.*

> **Proverbios 21:5, RVR1960**
>
> *«Los pensamientos del diligente ciertamente tienden a la abundancia; mas todo el que se apresura alocadamente, de cierto, va a la pobreza».*

Reflexiona:

- ¿Para qué crees que estás en esta vida?

- ¿Crees que en tu trabajo, con tu familia, o en tus negocios estás realizando labores con propósito?

- ¿Qué potencial ves en ti para contribuir a la comunidad y a vivir con propósito?

- ¿Tienes el deseo pleno de cumplir un propósito, sea cual sea tu rutina diaria? ¿Cuál es el propósito real de por qué quieres empezar tu negocio?

- ¿Piensas que serías más feliz si usaras tus talentos naturales o adquiridos para vivir con propósito?

Toma un minuto para detenerte y pensar en lo temporal de esta vida y en cuál puede ser tu legado en ella.

Capítulo
DOS

DESCUBRE Y CREE EN TU POTENCIAL Y TALENTOS.

Descubrir tu potencial es uno de los mejores regalos que te puedes dar en el fascinante viaje de la vida. Es lo que te permite disfrutar del éxito y de la satisfacción de saber que tienes algo especial que otros no tienen.

El potencial es como un cofre con muchísimas llaves y cada una de ellas es capaz de abrir o cerrar puertas hacia oportunidades ilimitadas. Un cofre, lleno de tesoros, que es pinchado permanentemente por lanzas que debes esquivar para encontrar lo que hay dentro para ti. Algunas de ellas son las críticas que te quitan la motivación, los miedos y las inseguridades que no te dejan alcanzar lo que es tuyo.

Al sumergirte en la profundidad de tu ser y lo que realmente eres, y explorar tanto lo positivo como lo que te detiene, podrás encontrar en cada rincón de ese cofre tus habilidades, conocimientos y pasiones, y ya descubriendo tu propósito, podrás sacar a relucir todo tu potencial y utilizarlo para tu beneficio primero, y luego el de otros. Este viaje interior te invita a reconocer y valorar las joyas que ya posees, y a crear otras nuevas que van de la mano con estas, preparándote y convirtiéndote en un experto con la experiencia que solo el tiempo da.

A menudo nos encontramos con un tesoro oculto en lo más profundo de nuestro ser y con inseguridades negamos nuestra capacidad interior. Pero quiero que leas esto: aunque tú no te des el valor correcto, tu potencial está ahí y lo tienes que descubrir.

Descubrir tu potencial es estar seguro de lo que sabes hacer bien y hacérselo ver a otros. Pero ¿cómo podrás hacer que los demás te conozcan, si ni siquiera tú mismo te has descubierto?

Busca tu potencial, aférrate a él sin importar a quién tengas a tu alrededor; aférrate a eso que nadie te puede quitar. Descubre en lo que eres muy bueno, porque eso es como un arsenal de herramientas que desbloquean el camino hacia tu emprendimiento. Podrás perder algunas personas o cosas materiales, pero tus talentos, lo que sabes y tu potencial, nadie te lo puede quitar. Tú eres el único responsable de no perderlo, de no dejar morir eso que está en tu corazón esperando por ti para abrirte caminos hacia la vida que tú quieres. La clave es pelear con ese enemigo pequeño en tu mente que te hace dudar.

Lo que tú sabes hacer, no todos lo pueden lograr; lo que tú sabes, no todos lo conocen, y lo que tú tienes, mucha gente lo quiere y necesita desesperadamente.

Pero no solo se trata saber que tienes un potencial, se trata de utilizarlo y mejorarlo con humildad cada día para que no se desvanezca. Es saber que todos los días tienes algo diferente que aprender y que todo eso te ayuda a conseguir nuevas llaves en el cofre que desencadena el éxito en tus esfuerzos empresariales.

Un tesoro no tiene valor si nadie se lo da, si está escondido, por eso necesitas descubrirte. Esto hará que seas una persona segura, que presentes un producto sin temor, y que tengas la certeza de que lo que tienes, es valioso. Eso será motivación y escudo para cuando alguien te diga que tus sueños no valen, que no tienes la capacidad, pero si tú te lo crees, escucharás lo que te dicen y podrás entender y respetar sin estar de acuerdo y sin paralizarse. Si tú sabes lo que tienes, ¡eso es poder!

Historia de poder

Este es un ejemplo de un emprendedor exitoso que encontró su potencial:

Joel es el fundador y CEO de Avofuel, un exitoso restaurante localizado en Florida. Siendo un profesional en

medicina, carrera prometedora que muchos desean, y después
de ejercer únicamente alrededor de un año, se dio cuenta de
que eso no era lo que en realidad le apasionaba. Entonces,
¿cómo Joel podía ser más fructífero y ser más feliz?

Él decidió emprender, siguiendo el legado de sus padres,
que tuvieron un restaurante en Puerto Rico, y aplicando su
propia **pasión** que engloba la salud, buena alimentación
y entrenamiento. Con todos estos elementos, fundó un
restaurante con un concepto diferente, teniendo el aguacate
como ingrediente principal en todos sus platos orgánicos y
saludables. Él sabía que utilizar sus talentos y avanzar como
trabajador incansable —virtudes heredadas de sus padres—,
era muy importante y por eso decidió trazarse metas y nuevos
desafíos sin importar lo difícil que pudieran ser.

Su mayor miedo inicialmente fue emprender en un campo
tan saturado, sin ningún tipo de experiencia o entrenamiento,
y que además el concepto no fuese aceptado por el público.
Pero a pesar de los miedos, buscó y trabajó con el potencial
que descubrió en él y tomó la decisión de seguir un camino
basándose en su pasión. Esto implicó, entre otras cosas, adquirir
los conocimientos básicos culinarios antes de crear sus propios
platos y recetas, y asegurarse de que la textura de su perfil
de sabores tuviera un buen balance. Él utilizó su pasión para
motivarse y prepararse con sus talentos, y además en otras
áreas como contabilidad, operaciones, costos de productos
y mercadeo, al tiempo que investigaba, planeaba y diseñaba

cada idea en su restaurante. Después de tanta incertidumbre, dedicación y a través de una visión hecha realidad, hoy puede ver los frutos.

El momento más difícil para él, pero al mismo tiempo el que fue de más bendición, fue cuando llegó la pandemia. En esos tiempos, por mandato del gobierno, cerraron muchos restaurantes, pero él —en aquel entonces operando de un pequeño *food truck¹*—, decidió seguir abriendo al público. Viendo lo positivo en una situación negativa donde muchísimos se rindieron, él admirablemente siguió luchando con positivismo. Incluso fue parte de un pequeño documental realizado por una importante cadena de noticias, resaltando como un guerrero luchador se desenvolvió en momentos de crisis, y desde allí pudo motivar a otros a seguir. Lo que parecía un obstáculo se convirtió en una oportunidad que marcaba un momento clave en su crecimiento, a través de una ilusión, confianza y, lo más significativo: trabajo duro.

Joel está seguro de que la gran ventaja de tener su propio negocio es poder ser él mismo, con la libertad de decidir y marcar el rumbo de su empresa. Él afirma que nunca se ha arrepentido del cambio de la medicina al emprendimiento, ya que desde temprana edad tuvo las fuerzas de tomar la mayor decisión de su vida y fue que «cuando tuviera que escoger, escogería su felicidad». Él descubrió su verdadero potencial y optó por no seguir en una carrera en la que sentía que no encajaba, y

1   Camión de comidas o restaurante sobre ruedas.

casi veinte años después, está en paz y satisfecho porque aquella decisión se convirtió en una bendición. Lo admirable de Joel para alcanzar sus metas como emprendedor exitoso, fue que siempre supo que los obstáculos eran producto de su mente y jamás vio alguno que le impidiera trabajar por sus metas.

Como resultado, Joel ahora está ganando lo mismo que ganaría en una carrera que para muchos sería difícil de exceder, pero él lo logró, trabajando para sí mismo, sin presiones y sin tener que seguir alguna estructura o protocolo definido por alguien más. Hoy está disfrutando de todos los beneficios porque tuvo la valentía de seguir ignorando sus miedos iniciales.

Joel tiene la mentalidad firme de que estamos en este mundo para cumplir un propósito. «Cada uno de nosotros es totalmente apto para soñar en grande y luchar por lo que nos pertenece. Todo comienza con una pequeña idea y por confiar en uno mismo», afirma.

«Tener un negocio propio —comparte Joel— significa tener propósito, ser plenamente feliz, haciendo lo que se sueña y a la vez descubriendo en el camino el verdadero potencial y las habilidades que uno no había descubierto aún. Tener un negocio propio es poder materializar de la nada una visión en la mente y después de tantos años de sacrificio poder mirar de afuera y decir: ¡lo logré!»

Hoy Joel comparte su historia para ayudar a otros a ver su potencial y agradece a todas las personas que aportaron desde un principio y tomaron de su tiempo para ayudarlo, pues no solo él vio su potencial, sino que todos los que lo apoyamos lo vemos a diario. También agradeció a todos los clientes que han hecho de Avofuel una compañía exitosa.

Si pudiéramos ver los talentos naturales que Dios nos dio, si apreciamos lo que sabemos hacer como un tesoro y le diéramos valor a eso, podríamos avanzar más y sentirnos más felices con lo que hacemos. En la historia que te acabo de contar, Joel fue diligente, se preparó, puso acción, utilizó su potencial y lo logró.

Disfruto ver que los negocios de la gente salgan adelante, que ellos sepan que sí se puede a pesar de los obstáculos que trae la vida. Lo hago porque me da satisfacción. Y a ti, ¿qué te da satisfacción?

> ### 1 Corintios 12:7, NTV
> *«A cada uno de nosotros se nos da un don espiritual para que nos ayudemos mutuamente».*

Reflexiona

- ¿Qué actividad disfrutas tanto que podrías hacerla todos los días? ¿Cómo te sentirías si ganaras dinero por eso?

- ¿Crees que eres bueno creando proyectos?

- ¿Cuáles son tus talentos naturales y cuáles son tus talentos aprendidos?

- ¿Qué haces bien y qué puedes mejorar?

- ¿Cuáles son las debilidades que no te permiten encontrar tu potencial?

- ¿Crees en ti? ¿Tienes que trabajar en ello?

Para lograr el éxito es muy importante que te analices en detalle, que te conozcas, que te des el tiempo de sentir si estas respuestas te motivan, te asustan o las ignoras. Si no le das la importancia necesaria a descubrirte, perderás mucho tiempo en tu vida y puede ser que después de que pase el tiempo te encuentres frustrado haciendo algo que no te da felicidad, o que no quieres seguir haciendo.

Capítulo
TRES
ENCUENTRA LO QUE TE MOTIVA

A menos que seas uno de los pocos afortunados que fueron beneficiados con una herencia, un apoyo familiar o externo, se ganaron la lotería o cualquier otra bendición excepcional, necesitas ponerte manos a la obra, porque nos guste o no, estamos en un mundo donde hay que trabajar para subsistir. Por eso, una vez encuentras tu propósito, descubres tu potencial, y te dispones a trabajar en las claves básicas del éxito, necesitas motivarte para empezar.

Pero ¿cómo encontrar eso que te motiva para prender los motores y tomar el rumbo de tu tan anhelado camino, sobrepasando los obstáculos que trae la vida?

Muchos lo encuentran al sacar adelante a sus hijos, padres o algún otro familiar, parejas, o alguien más que se convierte en su motivación para luchar. Usualmente se trata de una persona a quien quieren ayudar, alguien a quien admiran, o a quien quieren.

Algunos otros encontraron su fuerza motivadora en su poder más alto, escogido según las creencias espirituales personales, con lo aprendido según experiencias vividas o tradiciones familiares.

También hay casos de personas que han atravesado por momentos difíciles y después de cansarse de que el mundo les fallara, descubren que si tienen a Dios, lo tienen todo. Entonces se sienten salvos y motivados porque entendieron que no están solos y que son escogidos y amados de una forma maravillosa. Ellos encuentran su motivación en trabajar todos los días con un agradecimiento profundo con Dios por todas las bendiciones, y por eso deciden vivir con propósito. En mi caso, esa es mi razón. Reconozco que mi fe sumada al deseo inmenso de ayudar es lo que me ha servido a mí como motivación y éxito en mis negocios.

Aunque a veces para los demás suene increíble, saber que trabajamos para Él, para Dios, para Jesús, es un motivador único.

Sé que hay muchas personas que tienen algo o a alguien diferente en quien creer que los motiva. Tengo que ser realista: todos tenemos derecho a creer en lo que queramos y a vivir la vida que prefiramos vivir. Ese poder más grande y exterior es de gran ayuda para poder confiar en que todo estará bien sin importar lo que pase, pero yo comparto lo que siento y lo que a mí me ha funcionado: mi fe. Una fe que he visto fructificar desde muy pequeña, pues me han pasado cosas muy extrañas, pero siempre he salido bien. No sé por qué, ya que muchas situaciones han sido muy fuertes y a veces no ha tenido sentido que me sintiera tan protegida.

La motivación es algo que hay que trabajar constantemente, ya que ella no siempre está con nosotros, a veces se va por situaciones de salud, por circunstancias externas, o por no cuidar lo que está a nuestro alrededor o a quienes tenemos cerca. Somos humanos, vulnerables y tenemos debilidades y está bien aceptar que muchas veces es difícil permanecer motivados.

Algo que afecta la motivación y que trae enormes problemas es el no saber a quién se escucha o qué ponemos al frente de nuestros ojos y oídos, así como también no escoger correctamente a quién y cómo hablamos de nuestras cosas. Si alguien a quien le expones tus proyectos no está listo para escuchar o no es el momento adecuado para decírselo, es probable que tengas una respuesta negativa que arranque esa dosis de motivación que tanto trabajaste para conseguir.

Mateo 7:15-20, RVR1960

«Guardaos de los falsos profetas, que vienen a vosotros con vestidos de ovejas, pero por dentro son lobos rapaces. Por sus frutos los conoceréis. ¿Acaso se recogen uvas de los espinos, o higos de los abrojos? Así, todo buen árbol da buenos frutos, pero el árbol malo da frutos malos. No puede el buen árbol dar malos frutos, ni el árbol malo dar frutos buenos. Todo árbol que no da buen fruto, es cortado y echado en el fuego. Así que, por sus frutos, los conoceréis».

¿Qué corazón tiene la persona que te quiere ayudar? ¿Se siente alegre de que a otro le vaya bien? ¿Tiene envidias con otros? ¿Tiene la capacidad y has visto cómo destruye a otros?

A veces sabes que tienes el secreto para que a alguien le vaya bien y tienes el deseo de ayudarle, o sientes la necesidad de expresar tus sueños y no analizas con quién te desahogas y al final terminas descuidando tus pensamientos y tu corazón que es algo muy valioso. Por favor, recuerda: cuando no es el tiempo, no es el tiempo. Aprender por experiencias ajenas nos ayuda a no tener que caer tantas veces, pero el ego, el pesimismo, la tragedia y la terquedad nos desvían y nos vuelven sordos a la hora de escuchar y a la hora de compartir nuestros ideales. Si no fuera así, ¿cuántos consejos habríamos escuchado de nuestros padres que, con amor, nos guiaban?

No todos los consejos son buenos, pero escuchar los consejos sabios, que vienen desde el amor, el conocimiento y la experiencia, te pueden ayudar a crecer y desarrollarte como persona y como empresario. Toma un momento para pensar: ¿dónde y con quién gastas tus energías?

Como dice la Biblia en **Mateo 7:6, PDT:**

«No deis lo sagrado a los perros, no sea que se vuelvan contra vosotros y os despedacen; ni echéis vuestras perlas a los cerdos, no sea que las pisoteen».

Mantenerte motivado es vital para sacar tu negocio adelante en medio de los obstáculos. Analiza a quién vas a seguir, a quién vas a escuchar. Es muy importante reflexionar en dónde te enfocas, a qué le dedicas tiempo, qué recibe tu mente y quiénes son las personas que están a tu alrededor. Si, incluso inconscientemente, estás provocando que tu familia reciba negatividad de ti, estarás sembrando en ellos pensamientos que afectarán sus actitudes.

En mi caso, me funciona pedir: «Señor, dame sabiduría para hablar, para pensar, para actuar». Él te escucha, pide y se te dará. Este proceso para mí es fuerte porque veo situaciones y siento la confianza de que hay un mejor camino, una salvación, una forma más rápida y segura de que a tu negocio le vaya bien.

> ## Mateo 7:7, RVR1960
>
> *«Pedid, y se os dará; buscad, y hallaréis; llamad, y se os abrirá. Porque todo aquel que pide, recibe; y el que busca, halla, y al que llama, se le abrirá».*

Tener fe es esencial para el progreso. En mi experiencia, he visto cómo la fe y el discernimiento que te da tenerla, te permite identificar si la persona está lista para escucharte o no. Yo he aprendido a entender eso y si la persona que me escucha no me está pidiendo ayuda ni la quiere, prefiero respetar su opinión y esperar el momento apropiado en el que Dios me utilizará para transmitir su mensaje, cuando la persona esté totalmente dispuesta a escuchar, dispuesta a crecer.

Somos humanos y tenemos emociones, tenemos el derecho a no sentirnos bien cuando nuestro cuerpo o nuestra mente nos lleva a ese estado, pero por nuestro propio bien es muy importante tener la capacidad de pedir ayuda y aprender cada día de los demás. Buscar formas de motivarnos es nuestra responsabilidad, si queremos salir adelante. En mi caso, me gusta aprender cada día de los demás, aprender de los problemas y las situaciones que todos atravesamos; me gusta crecer leyendo y viendo videos de motivación, y también me gusta la gente que sabe buscar ayuda. Admiro a aquellos que no se dejan llevar por sus sentimientos y siempre intentan encontrar la forma de salir adelante, al fin y al cabo, pidiendo ayuda, no tenemos nada que perder.

Para mí la vida es un viaje lleno de satisfacciones que vivo explorando mis talentos, arriesgándome con lo que me gusta, viviendo aventuras sanas, incluyendo escribir este libro que es un sueño que se pudo materializar gracias a los frutos que otras compañías que manejo me dieron. ¿Cómo no voy a creer que es buena idea tener tu negocio, si para mí y otros ha sido de gran bendición? Es un gusto generar proyectos, es un gusto que alguien te diga: «puedo estudiar, puedo invertir, puedo progresar por la oportunidad que tu negocio provee».

Me gusta ver cómo la gente progresa y me entristece ver que les cierren las puertas a alguien que no consigue trabajo, y que ellos o sus familias sufran por dinero. Por eso pongo todo mi empeño en que las personas puedan utilizar todas estas herramientas para que no tengan que depender de nadie para poder progresar, aunque no tengan recursos, así tengan que empezar solo con servicios prestados a otros, aunque no tengan ahora para comprar productos. Si solo pueden empezar desde abajo, si tienen que crecer lentamente, yo les quiero ayudar a avanzar entendiendo que es mejor poco que nada, porque ese poco se puede convertir en mucho.

Quiero decirte que un día te reirás recordando cuando no te daban trabajo en ninguna parte o lo que encontrabas no era lo que querías, y te acordarás del momento en el que solo tu personalidad de emprendedor imparable llevó a tu pequeño negocio a crecer y crecer y crecer, hasta disfrutar lo que tienes. La fórmula es sencilla, pero a veces no se sigue por terquedad, miedo o ego; por tomar malas decisiones; por no buscar justicia para el cliente o para uno, o por no dar un producto bueno, lo cual es esencial. El poder dormir tranquilo y sentir ese orgullo de que las cosas se hicieron bien, es fenomenal y no tiene precio. El hecho de disfrutar tu progreso con valores apropiados y saber que se están haciendo las cosas bien, motiva.

- Visualization.

- People you surround yourself with.
  - Positive, Supportive & like minded.
  - Celebrate your success
  - Aling with your vision.

- Healthy & management Finances.
- Improve your Communication.
- Make Adjustments
- Solution focus   Growth mindset
- Fixed

(anotaciones manuscritas:)
- Commitment to a
- Growth mindset
- Reward —
- Personal power
- Challenge your limiting beliefs
- Embrace a Change mindset. / Challenge yourself

La llave está en tus manos

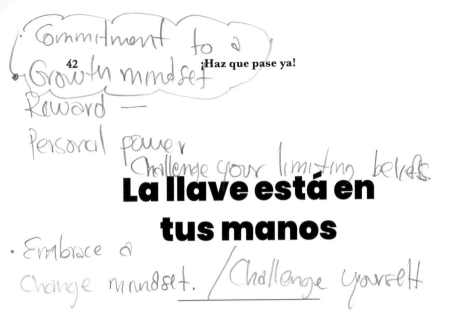

En estos tres primeros capítulos hemos establecido la base de tu negocio que se constituye al encontrar tu propósito, descubrir tu potencial y tu motivación. Todos estos conocimientos esenciales que he compartido contigo están basados en experiencias propias y en un común denominador entre personas exitosas.

Sé que partir de ahí no es fácil, pero algo que te puede ayudar es pensar en tu hogar, en tu vida, en tu negocio, en lo que te preocupa y en aquello que trae conflicto en tu organización. Sin juzgar ni culpar a otros, piensa: ¿qué puedes hacer para encontrar soluciones?, ¿qué puedes aportar para superar tus debilidades y las de otros, basándote en las claves presentadas anteriormente?, ¿para qué eres bueno y con esos talentos cómo puedes crecer con tu organización?

No somos perfectos y como humanos tenemos muchísimas fallas, pero para una vida mejor y tener éxito en los negocios debemos asumir en qué debemos trabajar y con humildad hacerlo. Los frutos y lo positivo viene en camino como un regalo que compensa los esfuerzos. Entonces, ¿por qué no vivir en armonía?, ¿por qué no estar lo mejor que podamos estar? Ayuda a los tuyos a ser lo mejor que puedan ser, a subir lo más alto que puedan, como las águilas. Si tu gente está bien, tú vas a estar mejor. Un error de muchas personas a las que se les hace difícil progresar es no valorar o no ayudar a los que están a su lado, sino, por el contrario, opacar. Si tu pareja o tus trabajadores hacen algo bien, están contentos y progresan juntos como equipo, saldrán adelante más fácilmente. ¿No estás ayudando a los tuyos por inseguridad o miedo a perderlos?

En mi caso, yo entiendo que todo lo que tengo en esta vida es prestado y que si no lo manejo bien, lo perderé. Si lo que hago no tiene un propósito más allá, no valieron la pena mis esfuerzos. Disfruto y gozo si mi familia está bien; si mis amistades prosperan, me da satisfacción. Al final del día, estamos aquí temporalmente. De esta forma siento que hay paz, la paz y satisfacción que ningún dinero compra, porque la riqueza material se hace más fuerte cuando va junto con la riqueza espiritual.

Muchos empresarios exitosos afirman que las personas de las que te rodeas influyen en un alto porcentaje en tu éxito o en tu fracaso. Entonces, ¿qué tal si construyes con la gente que tienes a tu alrededor un trato de alto respeto, de sanidad, de armonía, sin conflictos buscados, sin violencia, sin envidia, sin tener miedo de que ellos estén bien por inseguridades propias?

¿Qué tal si conseguimos que nadie se sienta mal porque le vaya bien a otro, porque cumplan sus sueños, sin pensar que la gente que hace dinero siempre es mala o que no se lo merece?

Si tú piensas que a la gente que le va bien, está haciendo mal, entonces cuida tus palabras y piensa si realmente esas palabras edifican o desmotivan a los que te confían sus sueños. Si crees que a alguien que le va bien no merece nada más, estás limitando tu potencial también, porque te sentirás culpable si te va bien, y no es justo para ti, porque tú también tienes tu valor; lo que eres es tuyo para utilizarlo como tú quieras.

Tienes derecho a ser próspero, a ser feliz, y a disfrutar lo que has trabajado, sea para ti o para ayudar a otros. Si en tu negocio o tu vida personal tus palabras destruyen con negatividad, va a ser más difícil crear buenas relaciones, tener personas de calidad humana cerca o mantener clientes por largo tiempo. La vida trae sus propias dificultades, sus propios obstáculos, y cuando las personas buscan estar sintiéndose de una forma positiva, se alejan fácilmente de aquellos que les hacen sentir mal.

Te invito a ser alguien que atrae cosas buenas, dando cosas buenas.

Analiza tus palabras, tu tono de voz y el mensaje que transmites al expresarte. Esto provocará que tengas mejores relaciones, más éxito, que vivas con propósito, que descubras tu valor para tus clientes, para tu familia, para tus amistades.

How to let people go?

Least Compasionte — let the person stay

No sientas envidia del éxito de los demás, utiliza este sentimiento para crecer, para encontrar tu misión, para tener el valor de cumplir tus deseos, sin importar el pasado, sin importar la edad, sin importar lo que ya no puedes cambiar. Ya lo hecho, hecho está, pero tienes la oportunidad en este momento de sanar y contribuir para que otros sanen, y de ser una persona de luz para otros.

No opaques los sueños de nadie, no juegues con la sensibilidad de otros como chiste, no sabemos qué hay en cada mundo, o qué está tratando de sanar esa persona. Si repites creencias de desánimo para otros, estas se quedan en tus pensamientos y en tu subconsciente, solo afectándote a ti y aconsejándote a ti mismo de una forma negativa. ¡Anima a otros! Al animar a otros, te estás animando también a ti.

Después de analizar y responder en los espacios de reflexión al final de cada capítulo, quiero invitarte a contestar estas preguntas antes de continuar.

- ¿Cumples tu propósito de vida?

- *Write mission statement*
- *write Vision Statement*

- ¿Estás utilizando tu máximo potencial con tu valor encontrado?

  "Compasionate leadership"

Timetable — will do anything to grow within the organization or outside of it.

"Power of Routine" ← Key Pillars
— sleep
— eat
— work out
— meditation
— mindfulness

- ¿Cuál es tu valor?

Define Added Value
Aproach to growth

- ¿Qué aspectos de tu personalidad contribuyen en tu círculo (familia, amistades o negocio)?

_____

_____

- ¿Cómo puedes combinar tu propósito, tu potencial y las claves restantes para lograr tu objetivo?

Perfect Storm
_____

- ¿Con tus palabras y tu actitud estás siendo de luz o de oscuridad para otros?

_____

_____

→ Schedule time off. (to prep)
90min — Blocks
→ Transition
factical execution to)
Proactive
                                    Problem
                                    Solving
think about how to   &
navigate & transition   Coaching.

Segunda parte:
En busca de las puertas

Capítulo
CUATRO
LAS PIEZAS CLAVES
DE UN NEGOCIO

Cuando compras algo que viene desarmado, necesitas prestar atención a no dejar ninguna pieza suelta, porque, de lo contrario, al armarlo este no funcionará. Con un negocio es igual: si quieres que funcione, necesitas tener todas las piezas esenciales para sacarlo adelante. De esa forma cosecharás todos esos frutos anhelados que te llevarán al camino de lo que tú mismo has definido como éxito. Recuerda que todos llamamos al éxito de una forma diferente, pero sea cual sea tu ideal, todas estas piezas son fundamentales para que no se caiga la estructura.

Hay factores determinantes para el éxito de un negocio, dependiendo de la industria en la que una persona se decida enfocar, y hay otros que son aplicables a cualquier emprendimiento o sector empresarial. Algunos de ellos son: una buena administración, buena actitud, positivismo, fe, buen mercadeo, constancia, responsabilidad y un deseo inmenso de superarse. Todo ello seguido de la acción y la seguridad de que se va a lograr.

A continuación te presento algunos principios fundamentales que son esenciales para la mayoría de los negocios; son esas piezas claves para tu éxito empresarial:

- **Encuentra tu propósito.**

- **Descubre tu valor en tu potencial.** Define claramente lo que te hace diferente de la competencia y qué valor único ofreces a tus clientes.

- **Busca tu punto de fe**, lo que llaman «tu poder más alto»; eso en lo que crees y confías, que te da la convicción y te protege. Es lo que te lleva a creer que los milagros existen, y que vas a estar bien.

- **Utiliza tu propósito y tu valor para encontrar tus talentos y tu tipo de negocio** solo basado en tu ser, no en lo que los otros hacen.

- **Planifica responsablemente**. Edúcate, investiga, planea, infórmate acerca de los requisitos adecuados, y elabora presupuestos de costos y ganancias. Busca racionalmente que el negocio tenga sentido con un análisis profundo de tu parte. Desarrolla un plan de negocios claro y bien estructurado que incluya tus objetivos, visión, misión, y estrategias realistas con un análisis de mercado.

- **Encuentra un producto que ayude a tu público**. Si el producto que vendes solo te beneficia a ti como dueño, tú serás una de las pocas personas que te compre. Un cliente compra con más facilidad un producto que considera que le beneficia, por eso las presentaciones de venta buscan crear una necesidad para luego satisfacerla con el producto o servicio que se ofrece. Muchos negocios se caen porque los contratos representan problemas para los clientes en vez de beneficios. Además, si con lo que ofreces, ayudas a tus clientes, te motivarás a hacerlo con un propósito más allá del dinero, por lo tanto, este llegará por sí solo. Esto te permitirá adaptar tu oferta y estrategias de marketing de manera más efectiva. La satisfacción del cliente es clave para el éxito a largo plazo, esta área incluye ofrecer productos o servicios de alta calidad con enfoque en el cliente.

- **Haz uso de un marketing con resultados.** Puedes tener un tesoro, pero si está escondido nadie lo va a encontrar. Así que, si tienes tu producto, ¡debes darlo a conocer! ¿Cómo hacerlo? Desarrollando estrategias de marketing, firmes y probadas. Para ello debes pensar en tu audiencia: ¿qué tipo de marketing sería efectivo para las personas del rango de edad al que quieres llegar? ¿En qué área viven? ¿Cuáles son sus preferencias? Puedes utilizar inicialmente todas las plataformas con enfoque digital gratuitas, además

Collective wisdom!

Be grateful for one thing at a Day!

de otras opciones tradicionales, pero si tienes la posibilidad, lo mejor que puedes hacer es apoyarte de un experto.

Un buen marketing mejora tu producto y darlo a conocer es esencial. Para que no pierdas dinero, analiza bien tu producto y cuál es la forma más sabia de invertir tus recursos. ¿Qué puedes hacer tú y que necesitas delegar? El mercadeo es muy importante para vencer el obstáculo de cómo conseguir clientes.

- **Desarrolla una buena administración financiera.**
Un negocio exitoso tiene ganancias y no pérdidas, y si en algún momento se presentan, entonces hay algo que mejorar. Lleva un control financiero estricto, mantén un presupuesto, haz un seguimiento constante de los ingresos y gastos, y planifica para el futuro.

Budget

Plan

Save

Muchos negocios generan suficientes ingresos y, aun así, no prosperan. Si la falla es cómo tú estás administrando, hay que tomar decisiones extremas para salvar tu negocio. La persona encargada de la administración de un negocio debe tener la fuerza y el carácter para ahorrar; la capacidad de mantener reservas; de decir «no», si no es necesario comprar algo o el negocio no lo puede cubrir en el momento; de saber cuánto entra y cuánto se puede gastar. Debe disfrutar del orden de documentos, de registros de ventas y compras.

Order

Si tú como dueño no te sientes capaz, o a la persona que tienes a cargo no le gustan las responsabilidades o no lleva a cabo correctamente estas tareas, debes encontrar la pieza que

Hire a CEO!

Help others to Achieve their Goals.

te falta, asignando a alguien capacitado, que quiera, que tenga estas características innatas.

La administración es la base para sostener el éxito de una compañía, e incluso el éxito de las finanzas de tu casa.

Si no administras bien o no delegas bien, será como un saco roto en donde, tal como entra el dinero, se va, y lo peor es que te das cuenta cuando ya estás perdido. Esto no solamente es para los negocios: una mala administración también afecta muchas familias. Hay personas o negocios que ganan mucho menos, pero administran muy bien, entonces cumplen todos sus deseos y, lo más importante: tienen paz al saber que tienen estabilidad y que no van a perder lo mucho por lo que han trabajado. No somos perfectos y a veces esto se aprende a las malas. Hay personas que no experimentan por cabeza ajena y tuvieron que cambiar y empezar de nuevo, con otra mentalidad diferente. Si esa es tu falla, despídete de administrador y consigue una nueva persona en esa área. Salva tu negocio o tu familia para que prosperes como te lo mereces. Busca ayuda profesional, habla con tu contable, edúcate en todas las áreas en las que no te sientas preparado.

- **Escoge a un buen equipo.** Si tienes oportunidad, escoge personas que sean mejores que tú; pero si no lo son y tienen la actitud correcta, aprenden eficientemente, si son personas que escuchan, que siguen

Hive the right team !

[handwritten: Problem Solving Attitude]

[handwritten: 53]

instrucciones, y son buenas solucionando cualquier obstáculo contigo, vale la pena invertir tu tiempo en ellos. La personalidad y actitud son cualidades básicas. Esto ayuda a cumplir tus operaciones internas.

Si tu compañía es eficiente, esto contribuye a la productividad, ahorra recursos y ayuda a que tengas clientes satisfechos.

[handwritten: Is the client happy?]

- **Adáptate a los cambios.** Estar abierto a la innovación y a los cambios te ayuda a adaptarte y crecer con tu negocio. Ser flexible y mejorar de acuerdo a los cambios del mercado, te mantiene al tanto de las tendencias y tecnologías que al final pueden ser innovadoras para tu negocio o incluso tu vida personal.

[handwritten in left margin: Dinosaurs!]

[handwritten: Corporate Culture]

- **Aprecia a tu equipo de trabajo.** Fomenta un ambiente de trabajo positivo y una cultura empresarial estable. Tú eres quien maneja tu emprendimiento, la pieza fundamental, pero tu equipo es el corazón de tu empresa. Cuando delegas, tu compañía está en sus manos y gracias a ellos tú creces; sin ayuda es más difícil crecer. Tu equipo y tú se necesitan: tú tienes la valentía y las responsabilidades que ellos no desean, y ellos te proveen a ti los servicios por los que son compensados. Al final, si todos trabajan en equipo, todos llegan más lejos. Ellos son tan importantes como tú. Entender esto te ayudará a mejorar la retención de empleados y la productividad.

*[handwritten: Build a world class team
LinkedIn CEO]*

- **Cumple tus promesas con calidad de producto y humanamente.** Lo peor es estar rogándole a una compañía que te entregue un servicio o un producto como ya te prometieron. Si no puedes dar algo que prometes, no lo hagas. Explica los tiempos realistas en los que puedes cumplir esto, con el propósito de no frustrar a ningún cliente. Recuerda: estás para ayudar con tu producto. En muchas ocasiones el cliente no se acuerda del producto, pero sí de la experiencia vivida. Esto ayuda a ganar referidos con eficacia y a tener clientes repetitivos.

- **Pon al cliente en el centro de tus decisiones comerciales.** ¿Qué quieren ellos? ¿Qué les gusta? Escucha sus comentarios y adapta tu oferta en consecuencia. Desarrolla la capacidad de escuchar y disfruta de dar lo que alguien necesita y no lo que tú quieres dar.

Recuerda que estas son pautas generales y que cada negocio puede requerir enfoques específicos. La capacidad de aprender, de adaptarse y de hacer cambios continuos y exitosos que te lleven a la prosperidad, son también claves para el éxito empresarial.

Muchas ideas de negocios son excelentes, pero por falta de organización, de orientación, por el derroche y la toma de malas decisiones financieras, no han logrado crecer. Que este no sea tu caso.

Evaluate Fit → Diversity!

> ## Proverbios 28:25, LBLA
> *«El hombre arrogante suscita rencillas, mas el que confía en el Señor prosperará»*

> ## Salmos 92:14, LBLA
> *«Aun en la vejez darán fruto; estarán vigorosos y muy verdes»*.

Reflexiona

- ¿Realmente estás cumpliendo con todos estos principios?

_____

_____

- ¿Cuál te hace falta?

_____

_____

- ¿Por qué crees que no los cumples?

_____

_____

- ¿Cuáles son los gastos necesarios de tu negocio y cuáles no lo son?

ERIC ASAP

- ¿Estás dispuesto a esforzarte en no gastar en lo que no es necesario hasta que el negocio esté generando suficientes ingresos para hacerlo sin perjudicarte?

Kate

- ¿Cuándo puedes empezar a trabajar en lo que te hace falta?

As soon as possible

- ¿Crees que esto es importante? ¿Por qué?

Planning & Budgeting
Key to Financial Success.

Culture
Important Drivers

Define:
- Collective Personality of our Organization
- Values — day to day Decisions

Hypergrowth Companies
Do not Compromise
Culture!

Purpose → Value → Motivation then Take Action!

Capítulo

CINCO

¿POR DÓNDE EMPEZAR?

Ya tienes tu propósito, encontraste tu valor y tu motivación, sigues todas las claves y tienes toda la fe posible… ¿Y ahora qué? Pues ahora viene la acción porque sin acción, no somos nada. De hecho, hay personas que les falta mucho de lo anterior y logran grandes avances únicamente porque pasan a la acción. Entonces, ¿cómo puedes pasar de un lado al otro? Pues lo más importante que puedes hacer es **EMPEZAR**, moverte, quitar los peros y los obstáculos mentales para conseguir lo que quieres hasta que lo obtengas.

Recuerda: nunca nada va a ser perfecto, así que si esperas a tener todo para comenzar a cumplir tus sueños, el camino va a ser más difícil y vas a tomar más tiempo en empezar a crecer.

Onboarding — Define &
Process
Culture - Values — Path for Growth
DR
& Development

Help people to transform
then evaluate performance based on
Culture.

> *Si tienes todos los recursos para empezar, empieza,*
> *y si no, también empieza.*

Todo eso que ya planeaste, ¡hazlo! Puedes comenzar por crear el nombre de tu empresa, registrarla, buscar tu número de identificación, contratar o llenar tú mismo todos los formularios que requieras para estar al día con todos los requisitos. En lo que no sepas, busca un profesional, toma el teléfono y haz las llamadas pertinentes para conseguir todo lo que necesitas para abrir y mantener tu negocio, pon fechas, empieza a hacer tu trabajo con organización, entusiasmo y entrega. La acción debe ir orientada a dar un servicio que tú quieres recibir. Pero ¡haz que pase ya!

GAPS in the how?

Las oportunidades sanas, de progreso, muchas veces llegan y pasan y no sabemos si las vamos a ver de nuevo. Hay que aprovechar ese deseo, esas ganas, esa chispa de vida y lanzarse a hacerlo. La **ACCIÓN** es esencial para la realización. Prepárate, planea, busca soluciones para cada resultado, en la peor y la mejor situación, y escríbelas para que te sientas más preparado y cómodo de empezar sin el miedo a no saber cómo solucionar. No se pierde nada por tratar.

Planear, investigar, realizar y tomar las riendas con acción va a venir del deseo interior, de la pasión que sientes al utilizar tus talentos, porque sabes que lo haces bien o porque tienes la motivación de buscar ser el mejor. No dejes apagar esos sueños

Alingment of values

Optimize what works

y esos deseos y empieza. Ve tras ese sentimiento que te dice: «solo hazlo y lánzate».

La decisión de si quieres trabajar para otro o quieres emprender tu negocio es muy personal; ambas están muy bien y son respetables, pero en este libro verás que mi enfoque es animar y guiar a las personas que quieran vivir de su propio negocio, utilizando sus talentos, sus virtudes y su fe para salir adelante. Trabajar para otro te da estabilidad, pues el riesgo lo asume otro (y las mayores ganancias también), mientras que emprendiendo el riesgo es mucho más alto y tienes más responsabilidades a tu cargo, pero vale la pena. Sé que esto causa temor, pero cuando te gusta lo que haces y eso te hace feliz, vas a notar que esas responsabilidades son más fáciles de llevar.

Tener un negocio es una aventura, es madurar y aprender con él como si fuera tu bebé. Si has decidido empezar, te recomiendo que vuelvas atrás como te explicaba al inicio y busques tu pasión sin pensar en el dinero en este momento. Tranquilo, ese dinero va a llegar si haces lo que debes hacer para emprender un negocio correctamente, pero ahora céntrate en pensar qué sentimiento te generaría entregar un producto de calidad; piensa qué quiere o necesita la gente que tú, con tu experiencia y talentos, le puedes dar; analiza si te estás preparando en las áreas en las que necesitas más ayuda. Te aconsejo que no pierdas tiempo, la vida corre y muy rápido.

Puedes ser feliz utilizando todos tus regalos, todas tus cualidades, todas tus fortalezas para avanzar. Sí, las tienes y lo estás haciendo muy bien, esto es parte de la felicidad y la satisfacción, aquella que viene de tu ser interior al poder ser productivo en tus metas, esa que aflora cuando nos decimos a nosotros mismos: «Yo realmente hago algo bien». Esto te ayuda a comenzar ya y a cambiar a una forma donde tú mismo te motivas para empezar y avanzar en la vida más rápido y más lejos.

Si Dios te dio esos talentos y te hizo para ese propósito que está fuerte en tu corazón, no lo dejes ir, no dejes morir esa ilusión. Él te dio ese regalo para que sobrevivieras en esta vida y nunca, lee bien, nunca, te abandonará. Te lo digo por mi propia experiencia y con la convicción de que tener fe y esperanza, funciona. Confía en que Él protegerá tu negocio, te traerá los clientes correctos, las personas correctas, la gente ideal para que tu negocio esté bien, sea fructífero y produzca para tu familia y para tus empleados. Toma cada día un tiempo para orar antes de cada proyecto o antes de empezar tu jornada, para que seas certero ante cualquier decisión importante. Pídele a tu máximo poder por tus clientes, porque de tu negocio salga un producto de calidad, funciona orar para que puedas hacer un análisis de tu personalidad, y para que tengas sabiduría para entender el camino que decidiste recorrer y así llegar a la meta.

Cuando termines, designa un espacio para, con racionalidad responsable, regalarte un test de personalidad y de carrera en el internet, hay muchos cuestionarios que son gratis, y que te servirán antes de tomar una decisión para emprender tu negocio, o confirmar en lo que tienes que trabajar para poder empezar, esto también es un paso responsable de acción. Conócete, edúcate y encuentra para qué tu personalidad es buena y por qué. Estos análisis son muy provechosos, porque a veces pensamos que somos buenos para algo y de repente descubrimos que somos mejores para algo más. Esto también te da más seguridad para poder empezar ya.

Es muy normal que dudemos de nosotros cuando no nos conocemos, y a veces no es real la opinión que tenemos de nosotros mismos. Cuando tenemos nuestros talentos escondidos, ya sea por mensajes incorrectos que han lanzado acerca de nosotros, o por experiencias negativas, es probable que incluso las personas que tenemos más cerca, no nos conozcan, no sepan cómo pensamos o cómo es nuestro corazón. A veces, nuestros seres queridos creen y nos hacen creer lo que no somos, pues no viven las experiencias que nosotros vivimos. How?

Te invito a que empieces hoy con borrón y cuenta nueva, te invito a que te enamores de la persona que eres hoy, no importan los perjuicios, ni el pasado, ni lo que fuimos. Reinventemos una nueva faceta de admiración con nosotros mismos, de confiar en lo que somos sin que nadie nos ponga etiquetas equivocadas. Tu mayor fuerza no son las palabras, es la acción, esa que determina cómo actúas y quién eres.

less talk more Action Sé que no es fácil, es un reto, pero la acción solamente debe venir de ti, de cuánto te conoces. Solo tú tienes la fuerza

Corks

- No surprises — manage expectations
- No same mistakes

para cumplir tus sueños, que no necesariamente tienen que ser los mismos que los de los demás. La acción es decisión propia y no puedes culpar a los demás de lo que tú no has puesto acción en lograr.

Pattern Recognizion.

Enfócate en tus metas, que sean tan grandes como puedas, que tu mente no tenga límites. ¡Sueña! No te sientas culpable por creer en ti, necesitas cada grano de arena que te puedas regalar para motivarte a empezar. Manifiesta con tu mente en abundancia. Créeme, realiza este ejercicio, disfrútalo, se siente bien realizarlo. Busca de nuevo tu lista de fortalezas y debilidades, conocer las debilidades te hace más fuerte, porque sabrás con claridad en qué trabajar. Asegúrate y repasa de nuevo las soluciones al lado de las debilidades.

Pon acción en tener humildad, teniendo siempre la mentalidad de crecer, la humildad para mirarte y reconocer que no eres perfecto, y que si hoy no tienes prosperidad y abundancia, quizás es porque algo está fallando. ¿Pudiera ser que fallas en no entender al necesitado? Ese necesitado puede ser el que está ayudando a tu negocio, recuerda que si no fuera por la gente, no podríamos tener un negocio. Todo negocio depende de la gente, sin clientes no somos nada, gracias a ellos podemos generar trabajos, cumplir con obligaciones y tener consumidores. Tratando mal a las personas no llegamos a ninguna relación con éxito. Ignorar a un cliente cuando te necesita, no funciona.

1. Know what you want to Accomplish. Passion & Skill.
2. Surround yourself with great people
3. Always be learning.

¿Fallas por tu derroche absoluto, tu pereza, tu salud, tu ansiedad, tu negativismo, tu falta de agradecimiento, tus influencias? ¿Tienes a alguien negativo cerca que está pesando más su opinión que lo que realmente eres? ¿Le cuentas tus sueños a alguien sin visión que te afecta, a alguien con envidia? ¿Estás viviendo un plan con propósito o es un plan egoísta? ¿Quieres con tu producto ayudar a otros o solo piensas en el dinero? ¿Estás en deuda por placer? Todo esto ocurre mucho y son grandes obstáculos para los emprendimientos. Por eso es importante conocerlos, porque es una realidad que se presenta día a día, y el problema no es que pase, el problema es que nos afecte y que no busquemos soluciones, a sabiendas de que nada de lo exterior lo podemos cambiar, pero a nosotros mismos sí.

¿Qué es lo que te falta para poder empezar? ¿Fe? ¿Confías en que todo va a estar bien? ¿Buscar una forma positiva de ver las cosas? Las personas nos ponemos en acción solo en lo que tenemos convicción que está bien. Empezar ya cualquier proyecto con bases fuertes de prosperidad, requiere que mires hacia lo que te saca adelante e ignores lo que no le conviene a tu negocio.

Conocer los obstáculos es muy importante, ya que eso puede afectar tus bendiciones y tu prosperidad. La actitud con la que enfrentas los problemas y cómo los resuelves enfocado solo en la solución, es algo a lo que le debes prestar especial atención. Buscar culpables no resuelve las cosas, no funciona enfocarse en críticas destructivas, no funciona porque cuando hay conflictos, la resistencia es alta y nadie escucha. Por el contrario, presta atención a las críticas constructivas que son expuestas por personas calmadas, desde un ambiente agradable y en paz.

Pasos para empezar con fuerza

Vale la pena emprender. ¡HAZLO!

A continuación te comparto una lista con algunos pasos o etapas que debes seguir para empezar tu negocio. Haz una marca en el cuadro y celébrate cada vez que completes alguna.

☐ **Descubrí mis regalos naturales y habilidades nuevas.** No todos tienen lo necesario para iniciar un negocio y eso no quiere decir que tu idea no sea brillante, sino que tal vez te faltan algunas características de personalidad necesaria y natural para comenzar una compañía. Antes de invertir tiempo o recursos en tu negocio, evalúate y mira si cuentas con las características típicas de un emprendedor, así como también analiza —como aprendiste al inicio—, cuál es tu propósito, tu potencial y tu motivación.

☐ **Desarrollé una idea.** No empieces un negocio solo porque es algo que está haciendo mucha gente. Hay gente que empieza proyectos, aunque no le gustan, solo porque ven que otro está haciendo dinero con ello. No hagas eso. Por el contrario, desarrolla un concepto de negocio que te apasione, que te cree emoción en el corazón, que lo sientas, que uses tus talentos para ayuda a los clientes. Esto está relacionado con algo en lo que tengas cierta experiencia, si fuera posible, o con talentos innatos que debes mejorar. Después, vuelve a pensar en un producto o servicio que creas que mejorará la vida de las personas.

☐ **Sigo lo que creo con firmeza.** Una vez que tengas la idea, descubre cómo puedes convertirla en realidad. ¿El producto es algo que la gente quiere o necesite? ¿Tú lo comprarías si no fueras el dueño? ¿Puedes tener ganancias vendiéndolo? ¿Tienes un propósito con el producto ¿Funciona?

☐ **Desarrollé un plan de negocios fuerte.** Ese es tu mapa de metas, de misiones, de oportunidades, de proyecciones, que te guiará hacia delante. Este plan es fundamental y lo necesitarás para mostrar tus ideas y metas a los futuros inversionistas. Este plan, aparte de la misión mencionada, debe tener: un objetivo, una descripción de la compañía y de cómo funciona el servicio o el producto, cuál es el mercado al que se quiere llegar, cuáles son los planes financieros, cuánto capital hay, cuánto hay que invertir, y cuánto son las ganancias estimadas por los próximos años con costos de las operaciones.

☐ **Conozco mi mercado.** Aunque hayas detectado algún interés en tu negocio, necesitas hacer más tarea.

Evalúa el mercado para que les vendas a las personas que seguro realizarán la compra. Haz una evaluación competitiva.

☐ **He determinado los gastos.** Haz investigaciones adicionales y conoce los costos comunes dentro de la industria que tú has escogido. Esto no solo te ayudará a manejar el negocio más eficientemente, sino que fomentará que seas más realista con lo que debes ganar para que funcione. No es el que vende más por vender y por ego, es el que realmente esté haciendo un buen negocio donde haya resultados. Esto también será información de mucho valor para los inversionistas en el futuro.

☐ **Encontré el capital, los bancos o los inversionistas adecuados.** Lo positivo de que empieces un negocio basado en servicios es que puede que tu necesidad de capital de inversión no sea tan alta y no necesites ayuda. De lo contrario, vas a necesitar algún tipo de préstamo al comenzar, ya sea de tus ahorros, tarjetas de crédito, bancos, donaciones, o regalos familiares. Si lo necesitaras (ojalá que no), encuentra a un compañero o compañera para tu emprendimiento, que comparta tu pasión, tus ideales, lo que quieres hacer y, especialmente, alguien con un temperamento con el que creas que puedes trabajar. Estas decisiones pueden afectar mucho el

rumbo de tu negocio si algo llegara a ser imposible.
Puedes encontrar apoyo también en cooperativas
de ahorro y crédito, que son entidades sin fines de
lucro que promueven el bienestar de sus socios,
devolviendo las ganancias obtenidas, en forma de
tarifas reducidas, tasas de ahorro más altas y tasas
de préstamos más bajas. Los socios suelen tener
intereses en común y valoran participar en una
institución diseñada para ayudar a otros socios.
¿Por qué la gente en algunas ocasiones escoge una
cooperativa? Porque, al igual que los bancos, las
cooperativas aceptan depósitos, otorgan préstamos
y ofrecen una amplia variedad de otros servicios
financieros, pero como instituciones cooperativas
y de propiedad de sus socios, brindan un espacio
seguro para ahorrar y pedir prestado a tasas
razonables. Además, las cooperativas de ahorro
y crédito pueden brindar educación financiera y
ayuda a los consumidores; sucursales dentro de
las escuelas, y servicios para pequeñas empresas.
En pocas palabras, una estructura cooperativa crea
un ciclo de asistencia mutua para lograr el objetivo
común del bienestar financiero de sus socios.

☐ **Tengo un presupuesto de mercadeo como
objetivo básico.** Una vez que determines cuánto
dinero tendrás para trabajar, descubre cuánto necesitas
para desarrollar tu producto o servicio y crea un plan de

publicidad. ¿Qué utilizarás? ¿Redes sociales, panfletos, publicidad por correo? ¿Trabajarás con agencias de publicidad? Te recomiendo que primero agotes todas las formas gratuitas y disponibles para mercadeo, y que luego sigas a un nivel mayor, si lo necesitas o no eres bueno en esas áreas. Pero sea la forma que sea que decidas utilizar, no dejes descubierta esa área, ya que el mercadeo es esencial para tu emprendimiento.

☐ **He calculado mis ganancias de la forma correcta**. Muchas personas ganan comisiones por ventas y se enfrentan al reto de sacar sus negocios y su familia adelante sin tener la certeza de cuánto ganarán cada mes. Por eso deben crear un presupuesto sin descansar hasta poder adelantar, por lo menos, seis meses de gastos. Hacer esto te ayudará a tener paz y estabilidad en el proceso, ya que el presupuesto debe ser proyectado basado en ganancias realistas.

Proverbios 14:23

«Todo esfuerzo vale la pena, pero quien habla y no actúa acaba en la pobreza».

Capítulo
SEIS

SUPERA LOS OBSTÁCULOS
CON AGRADECIMIENTO

Trinidad trabajaba mucho en su propio emprendimiento, un negocio que inició con el objetivo de tener más tiempo para ella y sus cosas, para pasear y disfrutar, trabajando desde cualquier parte del mundo, disfrutando su vida al máximo sin pedir permiso y ganando dinero siendo libre.

Sin embargo, con el pasar del tiempo se dio cuenta de que nada de eso estaba ocurriendo y dejó de sentir agradecimiento con lo que su negocio le había dado. Sus propias decisiones la llevaron a no tener un balance y ya no estaba viendo todos los beneficios de tener una empresa. Aun cuando en ocasiones su trabajo le traía adrenalina y satisfacción, estaba cansada de trabajar tanto y no estaba sabiendo cómo separar sus diversiones del negocio. Había perdido el enfoque.

Pero un día esta valiente emprendedora dijo: ¡ya!, y volvió a buscar su propósito inicial. Entendió en ese momento que si no lograba un balance, no solo podría perder su salud por tanto estrés, sino que podría perderlo todo. Era el negocio que amaba, pero se estaba perdiendo a sí misma dentro de él. Entonces decidió tomar unas vacaciones para hacer cambios en su vida y en su trabajo.

Trinidad decidió visitar Miami. Mientras estaba sentada en un restaurante al aire libre en la hermosa ciudad, empezó a ver cómo la gente caminaba despacio, relajada y sin preocupaciones. Pasaban frente a ella hombres y mujeres listos para conquistarse el uno al otro, y algunos otros, listos para descansar.

Después de una deliciosa cena, empezó a caminar sin prisa, a respirar profundo, y a ver una oportunidad de vivir y disfrutar más su vida. Analizaba con satisfacción todo lo que pasaba junto a ella, mientras veía a la gente sonreír. Con cada paso su perspectiva cambiaba al reflexionar en lo afortunada que era al poder moverse, correr, gritar… y sobre todo, vivir. Entonces comenzó a agradecer.

Agradeció por las propiedades que pudo comprar gracias a su negocio, que a día de hoy le generan ingresos, agradeció por su negocio, por todo lo que pudo hacer, y por todo lo que pudo viajar. Dio gracias por tener un ingreso que la ayudó a sobrellevar momentos de enfermedad, soledad o tristeza. Agradeció mientras se daba cuenta de lo hermosa que es la vida y de que tenía demasiadas cosas para disfrutar y ser feliz.

Estaba agradecida y a la vez nostálgica porque comenzó a notar que su adicción al trabajo se había convertido en una forma de entretener su mente para tapar aquellas cosas que debía solucionar en su interior. No paraba de dar gracias a Dios por prestarle tantos años a sus padres, dos seres maravillosos que ya no vivían, pero que siempre estuvieron ahí. Le entristecía profundamente que ellos no estuvieran físicamente, le dolía su ausencia, pero agradeció con todo el corazón el amor y el apoyo que siempre recibió.

En ese momento, Trinidad empezó a liberarse de recuerdos dolorosos que quería dejar atrás y que, sin darse cuenta, se habían convertido en una «piedra en el zapato» en sus días de productividad.

A partir de entonces, la historia de Trinidad empezó a cambiar. El agradecimiento fue la herramienta que la llevó a superar aquello que le estorbaba y a cambiar el dolor por paz. Al estar más tranquila y feliz, pudo avanzar y ser más productiva, encontrando el balance que la llevó a alcanzar sus objetivos y a levantarse en momentos de cansancio.

Y dirás: ¿pero por qué me cuentas esta historia? La respuesta es simple: porque el agradecimiento es una de las claves del progreso. Ocurrió en la vida y en el negocio de Trinidad y también puede pasar en la tuya.

La vida del emprendedor no es fácil, puesto que hay muchos obstáculos y tentaciones que pueden llevar al fracaso.

Tomar una decisión errada puede arruinar mucho más que solo el negocio; puede arruinar la vida completa, la familia, la salud, las emociones, la economía y el futuro, incluso de la siguiente generación. Pero, por encima de esas dificultades, es posible llevar una vida equilibrada y en balance.

Tener una vida en balance es delegar un tiempo justo a cada área: trabajo, relaciones, espiritualidad, hobbies, bienestar y cuidado personal, dándole a cada una de ellas la importancia y el respeto que se merecen. ¿Respeto a qué? A tu motivación, a tu valor inicial, a tu propósito, a tu porqué, a tu tiempo, a tus valores, a tus sueños, a tus ideales, a la gente con la que trabajas y sobre todo, el respeto a ti mismo. Ese respeto te llevará a no elegir algo pasajero que te lleve a perder aquello por lo que tanto has trabajado y te ayudará a tener consistencia con lo que un día te prometiste.

También es necesario aclarar que hay etapas en las que el sacrificio es mayor y cuesta mantener el balance, especialmente cuando se está empezando. Son etapas en donde lo bueno y lo malo se mezclan con facilidad, y en las que es necesario mantener el enfoque. Durante ese tiempo posiblemente perderás actividades, eventos, invitaciones, e incluso, amigos que no pueden entenderte, pero debes ser consciente de que eso está bien y que a veces es necesario, pues te llevará a identificar quiénes son aquellas amistades genuinas que quieren lo mejor para ti y que merecen estar a tu lado. Esos tiempos de sacrificio temporal te ayudan a disfrutar de un balance pleno, lleno de ilusión en el presente, para poder disfrutar de tu prosperidad en tu futuro. No es fácil superar obstáculos, pero ¡vale la pena! Puede ser muy estresante y esas etapas de sacrificio demandarán todo tu tiempo y atención, pero lo llevarás mejor si te organizas y vas un paso a la vez. Al principio, mientras aprendes y te estructuras, puedes sentirte abrumado, pero recuerda usar la herramienta del agradecimiento: agradece mientras te informas de los requerimientos legales, mientras trazas un plan, mientras estableces cómo llevarás la contabilidad, mientras preparas tu sitio web o tus redes sociales, mientras defines los entrenamientos de tus trabajadores. Una vez aprendas y sigas tu propia estructura, sentirás que todo se te hace cada vez más fácil. Te aseguro que será una gran experiencia en lo personal y profesional.

Historias de poder

Hace algún tiempo, junto a mi equipo, comenzamos el proyecto de producir un programa piloto de televisión en el que contábamos historias de superación, con el objetivo de ayudar a personas y familias enteras a ir por encima de las dificultades y así poder alcanzar sus sueños. Para nosotros era un gran reto porque implicaba buscar patrocinadores; definir escenarios, decoración, luces, equipos, música; escribir guiones, y organizar temas logísticos, entre muchos otros asuntos que demandaban tiempo y esfuerzo. Sin embargo, pensar en lo que lograríamos y toda la gente a la que ayudaríamos era nuestro motor. Nosotros agradecemos el poder sacar un piloto Adelante, lo cual era imposible de lograr para muchos.

Hubo muchas historias realmente inspiradoras, pero quiero hablarte de una de ellas:

Este es el caso de Jacqueline, una mujer que no trató a tiempo sus emociones, y cuya depresión severa no le había permitido salir adelante, llevándola a encerrarse en un mundo en el que las cuatro paredes de su casa eran el refugio para escapar de la vida oscura que llevaba. Su situación era tan compleja que se enfermó, perdió el ánimo y dejó de ser ella.

Sabía que necesitaba tener un negocio propio, pues necesitaba ingresos y en ningún trabajo entenderían sus episodios de depresión, pero tenía miedo. No quería buscar ayuda profesional y simplemente se había resignado a no cumplir sus sueños. Jacqueline estaba enferma y realmente desesperada.

Al conocerla, sentimos que, a pesar de sus problemas, en el fondo ella sí quería salir adelante y que nosotros podíamos ayudarla a ser fuerte. Necesitaba apoyo, motivación y educación empresarial, es decir, un asesoramiento dirigido a impulsar el cumplimiento de sus metas a corto y largo plazo, con los recursos con los que contaba, y eso hicimos.

Ayudamos a Jacqueline a encontrar ayuda profesional y gracias a su esfuerzo y el apoyo de quienes estábamos alrededor de ella, los doctores empezaron a ver su cambio y con mucha ayuda Jaqueline salió adelante. Ella encontró la manera de ayudar a otros con su negocio y se motivó, pues organizaba su horario como a ella le convenía para poder continuar dándole prioridad a su recuperación. Empezó a tener libertad, motivación y fe, y además su gente la apoyaba y la entendía, estando dispuestos a escucharla cuando no estaba bien. Jacqueline superó sus obstáculos con agradecimiento y buena actitud, y pudo salir adelante. Dejó a un lado la queja, empezó a sentir agradecimiento por todos esos familiares y profesionales que querían ayudarla, y todos los días, antes de dormir, agradecía por todo, encontrando cada noche más de diez razones por las que agradecerle a Dios. Ella entendió que sí podía avanzar y dar lo mejor a sus clientes. Es más, su negocio empezó a ir tan bien, que pudo conseguir una empleada en quien apoyarse en los momentos en los que su cuerpo y su mente le pedían descanso y balance. Su historia es admirable.

Antes de continuar, quiero tomar un momento para hablar de uno de los obstáculos más comunes en el camino al emprendimiento, y es la depresión. Tristemente, hay miles de personas con una necesidad profunda de ayuda, gritando internamente: «ya no puedo más». Personas famosas y «del común» que están batallando con este enemigo interno, que puede estar acompañado de la ansiedad y otra serie de enfermedades emocionales.

Según el manual *Diagnóstico y Estadístico de los Trastornos Mentales DSM-5*, publicado por la American Psychiatric

Association (Asociación Americana de Psiquiatría)[2], «los signos y síntomas de la depresión clínica pueden comprender los siguientes:

- Sentimientos de tristeza, ganas de llorar, vacío o desesperanza.
- Arrebatos de enojo, irritabilidad o frustración, incluso por asuntos de poca importancia
- Pérdida de interés o placer por la mayoría de las actividades habituales o todas, como las relaciones sexuales, los pasatiempos o los deportes.
- Alteraciones del sueño, como insomnio o dormir demasiado.
- Cansancio y falta de energía, por lo que incluso las tareas cortas requieren un esfuerzo mayor.
- Falta de apetito y adelgazamiento, o más antojos de comida y aumento de peso.
- Ansiedad, nerviosismo o inquietud.
- Lentitud para razonar, hablar y hacer movimientos corporales.
- Sentimientos de inutilidad o culpa, fijación en fracasos del pasado o autorreproches.
- Problemas para pensar, concentrarse, tomar decisiones y recordar cosas.
- Pensamientos frecuentes o recurrentes sobre la muerte, pensamientos suicidas, intentos suicidas o suicidio.
- Problemas físicos sin causa aparente, como dolor de espalda o de cabeza».

2   Asociación Americana de Psiquiatría, Manual diagnóstico y estadístico de los trastornos mentales (DSM-5®), 5a Ed. Arlington, VA, Asociación Americana de Psiquiatría, 2014. Último acceso: 26 de febrero de 2024. Disponible en: https://www.federaciocatalanatdah.org/wp-content/uploads/2018/12/dsm5-manual-diagnsticoyestadisticodelostrastornosmentales-161006005112.pdf

Si tienes algunos de estos síntomas que no te permiten avanzar, si la depresión es tu obstáculo, visita a tu médico de confianza y busca ayuda urgentemente. Solamente un profesional puede determinar un diagnóstico, pero es importante que busques la razón de tu desánimo y entiendas que aun en los momentos más oscuros, con ayuda, puedes sanar y salir adelante. La depresión es un lugar del que si no se sale rápido, te absorbe y cada vez es más difícil escapar, pero se puede salir de allí. Sí se puede; tú puedes. Es un tramo largo, pero tiene final.

Todo momento oscuro trae sus problemas, sin embargo, la esperanza de salir adelante y las ganas de cambiar deben ser mucho más fuertes. La luz en tu vida llegará gracias a la ayuda de otros, pero principalmente a tu propia ayuda y decisión. Algunos especialistas afirman que si una persona adulta no se quiere dejar ayudar, no hay absolutamente nada que alguien más pueda hacer.

No importa lo que tengas, el alma, el espíritu y la fe son esenciales para tu negocio, tu carrera, tu prosperidad financiera y tu bienestar integral. No te dejes caer, piensa que tú puedes y que estás equipado para hacerlo.

Si te sientes solo en esta lucha, hay miles de grupos de apoyo en iglesias, en centros, en el mismo internet. Investiga, no te quedes de brazos cruzados, busca un propósito en esta dificultad, porque tal vez tu experiencia ayudará a otros a salir de lo mismo. Afuera las depresiones, ¡levántate ya y vive tus sueños!

No hay problema tan grande que no tenga solución, si Dios está contigo y tú con Él, no hay soledad eterna que no se puede reemplazar con buenas personas alrededor. Escoge bien tu grupo de apoyo. Siempre recuerda que sí se puede. Repítelo mil veces, así no lo creas, eso se quedará en tu subconsciente y finalmente se convertirá en acciones. Vamos, repite conmigo: «Sí puedo. Sí es posible. Agradezco porque puedo. Agradezco lo que tengo. Todo estará bien. Todo estará bien».

La historia de Harbor:

Cumpliendo con el deseo de seguir con su negocio sin dejar la vida familiar

Harbor era una empresaria de alrededor de cuarenta años con un profundo deseo de ser mamá. Era un sentimiento que había esquivado por mucho tiempo para evitar desilusiones con algo sobre lo que no tenía control, por lo que no lo buscaba intencionalmente. Lo que no sabía es que en el momento en el que ese deseo se hizo mucho más intenso, ella ya estaba embarazada. Cuando se dio cuenta no lo podía creer, arrodillada, lloraba y le daba gracias a Dios por ese grandioso regalo e imploraba por salud y sabiduría para cuidarse y cuidarlo a él.

En ese momento pensó: «este es el tiempo de mi familia, de sentir y disfrutar la vida de mi hijo». Ella sabía que el modelo de negocio que había construido con tanto esfuerzo le podía permitir una estabilidad económica, pero a la vez era consciente de que necesitaba seguir cumpliendo con sus responsabilidades y que ahora debía esforzarse mucho más para que su hijo estuviera bien, y poder seguir con el nivel de vida y economía que ya había conseguido.

Al ser un embarazo de alto riesgo a causa de su edad, en un primer momento tuvo muchas preocupaciones. Pensaba en lo devastador que sería perder a su hijo, pero se aferró a esa vida y venció la preocupación con fe y acción. Decidió que debía cuidar al máximo su salud, que debía comer bien, revisarse con los doctores, y además, meditar para cuidar su corazón, su alma y su espíritu. Su hijo se convirtió en una de las razones más importantes en su vida para seguir luchando.

Harbor sabía que si Dios le había enviado ese hijo, había un propósito y que todo iba a estar bien, pero también sabía que en su negocio tenía responsabilidades que debía gestionar. Entonces decidió escribir todo lo que debía hacer en el negocio y al frente escribió lo que ella podía hacer sin afectar su nueva situación familiar, y cuáles cosas debía delegar. Entendió que el negocio era una responsabilidad, un sueño, una forma de producir dinero para su familia, incluso cuando no podía trabajar, y dentro de las dificultades que la situación presentaba, vio lo positivo entendiendo que su negocio también era un instrumento para ayudar a otras personas dándoles trabajo. Por eso, dentro de las medidas que tomó, estuvo el ampliar las horas a sus empleadas (medida que las

puso contentas, puesto que ganarían más) y las entrenó para
que pudieran cubrir aquello de lo que ella se hacía cargo y que
en esa etapa temporal no podía hacer. Así pudo sobrellevar su
etapa de un embarazo de forma feliz y exitosa, sin descuidar
su empresa. Harbor estaba disfrutando su experiencia.

Ahora quiero abrir un paréntesis en la historia para
hablarte a ti, pues solo tú puedes entender tu situación para
buscar soluciones a tiempo y no ahogarte en las dificultades. Y
tal vez pienses: «sí, pero ella tenía más tiempo en su negocio,
pudo pagar empleados, extender horas; yo no he llegado a
ese nivel». Y sí, es cierto, llegar a ese punto requiere tiempo,
sabiduría, constancia y lucha, pero todo se hace más fácil si
tienes la pasión de hacer lo que te gusta, si hay organización,
ahorros y buena administración para estar preparados cuando
vengan los obstáculos. Harbor logró sacar su negocio adelante
con un buen equipo de trabajo lleno de personas dispuestas
a trabajar, pero antes de lograrlo tuvo dificultades y estuvo a
punto de rendirse.

Lo que quiero que veas es que precisamente esa es la
ventaja de tener un negocio propio: que con el tiempo puedes
tener una entrada financiera para poder estar bien si la vida
te presenta situaciones en las que no puedes trabajar, como un
accidente o una enfermedad; o en las que necesitas hacer una
pausa, como, en este caso, un deseo familiar.

¿Crees que para ella fue fácil? Créeme que no, pues con su
nueva familia como prioridad, también tuvo etapas en las que

su corazón y espíritu estaban cansados. No todo fue color de rosa, y también como humana tenía muchísimas debilidades. ¿Pero cómo logró salir? Eso es lo que te voy a contar:

Primera etapa de Harbor: superada. Pero la vida no es perfecta y a pesar de la abundancia financiera, luego del embarazo escribió una carta expresando lo que sentía, cuando no podía dormir bien al tener tantas responsabilidades y no encontrar el apoyo suficiente para sacar adelante su negocio tan rápido como necesitaba. Esto decía la carta:

Me siento muy triste, muy perdida, sin rumbo, desagradecida. ¿Por qué me siento así, si tengo tantas bendiciones, si mi negocio está produciendo al punto de necesitar más personal? No lo sé, pero me siento mal, quiero más tiempo para cuidar a mi hijo, quiero compartir más con él, con mi tesoro, mi grano de arena, mi vida. No estoy disfrutando de empujar tanto mi compañía con tantos esfuerzos. Estoy cansada de contratar gente que no quiere trabajar. Tanto esfuerzo para al final salir debiendo, dedicar tanto tiempo en preparar a otros y ayudar a mi equipo a ser mejor y al final ni lo agradecen. No encuentro el personal con las características que necesito y estoy muy muy frustrada. Realmente necesito más ayuda.

Harbor, como muchos de nosotros hemos vivido, estaba atravesando un momento de frustración frente al obstáculo de tomar decisiones eficientes que le permitieran combinar su trabajo y su vida personal. Se estaba sintiendo derrotada por un obstáculo temporal que tenía solución y que ella no veía.

Cualquier negocio que crece se va a enfrentar a este tipo de obstáculos. Se necesita un equipo, pero a veces la paciencia, la fe y la perseverancia para conseguirlo, desaparecen. En el caso de Harbor se sumaba el hecho de que acababa de tener un hermoso bebé, y que sus hormonas y el cansancio no le permitían tener la mentalidad correcta para ver todo lo positivo que le pasaba. En aquel momento lo que más necesitaba y más le faltaba era el agradecimiento y la fe, tanto que estuvo a punto de vender su negocio por muchísimo menos de lo que realmente ganaría si se quedaba con él.

Con la mentalidad de derrota que la estaba asediando, Harbor empezó a descuidar su espíritu, su alma y su corazón, dejando que sus miedos la invadieran con sus propias palabras de desánimo. Ella se repetía en medio de la frustración con su equipo: «estoy cansada de no tener tiempo, siento que pierdo mi libertad y mi pasión; siento que tengo que obedecer en algo que me gusta, que lo disfruto, pero que tengo que contar con más gente para sacarlo adelante y me siento mal porque son años y años de trabajo, pero siento que no estoy obedeciendo a lo que sé que tengo que hacer. Mi salud ya no es la misma de antes, me da pena sentirme así, me da pena sentirme fracasada, cuando no lo estoy. Mi negocio está muy bien, pero mi mentalidad no es la misma, no puedo perder un negocio tan próspero, es un negocio muy bueno, un negocio que me ha costado muchas lágrimas, trabajo, mi tiempo y ahora el tiempo de mi hijo y de mi salud. Cada vez más siento que tanto esfuerzo, ¿para qué? Mi hijo es mi prioridad».

Su espíritu estaba tan cansado que no veía que sí había formas de obtener y disfrutar un negocio y la familia. El tiempo diario es limitado y hay etapas en las que simplemente no podemos estar presentes, pero nuestra responsabilidad es que si nosotros no podemos realizar un papel en una compañía, debemos encontrar quien nos pueda reemplazar en esa área por el bienestar del negocio. Harbor seguía teniendo una mentalidad negativa con respecto a su negocio y no estaba viendo lo positivo, se le estaba yendo su agradecimiento por él. Veamos este ejemplo de cómo su mente la estaba perjudicando.

Harbor volvió a escribir:

Si en vida no voy a disfrutar todo el dinero que he conseguido, ¿de qué me sirve? Siento que nadie a mi alrededor, ni siquiera mi familia, valora el tesoro que yo les estoy dando, la oportunidad que les estoy brindando. No la quieren y ni siquiera saben de lo que se están perdiendo al poder disfrutar sin pasar por lo que yo pasé. Todo se perderá mientras que mi salud se va con el estrés.

Nadie entiende la tristeza y lo que siento en el pecho cada vez que se me va una empleada; cuando invierto mucho tiempo entrenando y no van a trabajar; cuando el personal no sigue instrucciones y encima salen enojados. Estoy cansada, frustrada, y ya con todo esto no tengo ganas de seguir.

¡Hasta aquí llego! ¡Me largo a disfrutar todo lo que he trabajado! Me he motivado para trabajar tanto, para dejarles mis frutos a mis familiares cuando muera, pero ellos ni siquiera quieren trabajar en mi

negocio. Trabajo para que si me pasa algo, le quede todo a mi familia, pero ellos no quieren luchar conmigo, no quieren trabajar conmigo. Me tratan como si yo no les importara.

Ella estaba escribiendo con dolor y se estaba enfocando más en el humano que en Dios, no estaba practicando el pensamiento de hacer lo mejor sin esperar nada de nadie y por eso se sentía sola. Permitió situaciones y pensamientos negativos que solo interrumpían su éxito, como suele pasar cuando dependes de los demás y no te aferras a Dios para traer las personas correctas a tu vida.

La mentalidad absurda de negatividad que había abrazado, no la dejaba ver que todo aquello era temporal y solucionable, pues su compañía podía pagar por una ayuda adecuada que le permitiera disfrutar de su hijo y que, a la vez, permitiera que su negocio se siguiera manejando solo, como se manejó por muchísimos años. Encontrar la solución era cuestión de actitud y acción.

Finalmente, decidió tener fe y llegó la persona con todas las características que buscaba. Era alguien que escuchaba y que aprendió rápido a cumplir con todas las tareas necesarias. El problema de apoyo en la oficina ya estaba solucionado. Sí, tuvo un precio de pagar más por ayuda, pero en su caso era una bendición poder tener a alguien y que, gracias a su negocio, pudiera disfrutar su familia, recuperar su salud, y estar plena y feliz con los objetivos logrados. Una vez más, superó, con agradecimiento, fe y acción, un obstáculo común en los negocios: cuando el equipo de trabajo no está cumpliendo con las responsabilidades necesarias.

Todo estuvo muy bien, caminando como nunca, y cuando Harbor se recuperó, pudo dedicar mucho más tiempo a su negocio, y disfrutar un balance saludable de trabajo, familia y amistades.

Sin embargo, los obstáculos siguieron presentándose, esta vez por parte de personas cercanas, las cuales estaban afectando sus emociones. Después de un año, Harbor volvió a tener pensamientos negativos, como suelen presentarse a muchísimos dueños de negocios que se sienten luchando solos, invadidos por las emociones que interrumpen los milagros.

Harbor después de mucho tiempo de haber tenido un balance, empezó a sentir que no estaba controlando sus emociones, que sus voces eran excesivamente negativas, que no estaba viendo lo positivo de su negocio e intentó comprender mejor a su familia, sin tomarse nada personal. Entendió que en medio de su dolor y de sus emociones personales, que también estaban afectando sus negocios, no estaba pensando en todas esas amistades que sí la querían como si fueran su familia, para las cuales sí era importante hacerla sentir bien.

En ese momento de cansancio, solo tenía una vía que era Dios y ella misma, y entonces escribió una vez más, esta vez, una oración:

Dios, no puedo sola, por favor, ¡ayúdame! Ayúdame a que las personas que se acerquen a mí sean personas enviadas por ti. Ayúdame a escoger las personas correctas en mi vida, tráeme las personas indicadas para trabajar conmigo, esas que tú sepas que seguirán mis instrucciones y harán bien su trabajo, y que al hacerlo me den paz y tranquilidad. Dame sabiduría para entender, perdonar y aceptar a quien no quiera estar a mi lado, especialmente si son personas que amo. Ayúdame a poner mi mirada en ti y no en el hombre, para no sentirme confundida por mis emociones, si en algún momento me desilusiono de ellas,

Gracias por estar conmigo en todas mis locuras y en todos los riesgos en mis negocios- Gracias por el éxito y la abundancia que has permitido en mi vida. Gracias por darme familia, gracias por los clientes, gracias por todos los éxitos en medio de mi deseo por llenar mi espíritu de ti. Dame fuerzas para ayudar a la gente, dame sueños. Ayúdame porque mi espíritu se está apagando por tanto estrés y mi salud se deteriora. Ayúdame a superar mis sentimientos, porque cuando le pasa algo a mi hijo me pongo en modo de defensa y controlar mis emociones se me hace difícil. Ayúdame a entender y a tener total control de ellas.

Dios, quítame la culpabilidad y dame paz. Que yo haga lo que tú quieres con paz. Lléname de ti, guíame para sentirte todos los días en mi corazón. Lléname de salud y permíteme disfrutar de mi vida, sintiéndome bien y feliz. Dios, ayúdame a dar pasos con fuerza y llévame a tu plan. Amén.

Terminó de hacer su oración y luego empezó a utilizar la técnica de escribir el problema y buscar soluciones escritas al frente de ellas. Esta fue su lista:

Preocupación:

Empleados

Acción: *No descansar hasta conseguir empleados correctos.*

Resultado:

En menos de un mes renunció la persona que causaba tanto estrés y que no se atrevía a tomar la decisión de dejar ir. Después de muchas entrevistas y de dar oportunidades, llegó la persona correcta a trabajar, una persona como enviada por Dios, diligente, agradecida, que trabaja con ganas. Los clientes están felices y ella también.

Preocupación:

Tiempo para el trabajo y la familia.

Acción: *Planear y escoger las batallas.*

Solución:

- *Escogió mejor sus productos para ofrecer y lograr que valga la pena el tiempo invertido. Decidió no seguir con los productos que consumen tiempo y no producen ganancias suficientes para cubrirlos.*

- *Cambió su estilo de trabajo, empezó a ir a la oficina solo por citas, y trabajar lo que más podía desde su casa para compartir más con su hijo.*

- *Aumentó las horas laborales en la oficina, así pudo generar más empleos y permitió que otros generen más. Aunque eso podría ganarlo ella, su negocio le daba suficiente dinero para poderlo hacer.*

- *Busco programas en tecnología de gestión más avanzados para poder trabajar más inteligentemente, haciendo el trabajo más efectivo y rápido para todos.*

Preocupación:

Su hijo:

Acción: *Buscar ayuda y tener un balance para pasar más tiempo con él.*

Solución:

Encontrar una escuela en la que le diera paz para dejar a su hijo, con excelentes profesoras y con cámaras para poderlo ver, pues sentía que era muy pequeño y quería verlo más durante su tiempo de trabajo. Sabía que su negocio le proveería para pagar un lugar donde, aparte de todos estos beneficios, el niño pudiera tener clases extraescolares en las que él también disfrutara con más niños. Cuando su hijo no estaba en la escuela, ella quería pasar el mayor tiempo posible de calidad con él.

Estos son solo ejemplos de cómo cambiar las reacciones que tenemos a pesar de que tengamos emociones fuertes.

Recuerda: No puedes controlar los obstáculos, problemas o situaciones, pero sí cómo reaccionas ante ellos, cuidando tu corazón, alma, y salud, con agradecimiento y fe.

> **Isaías 41:10, NVI**
> *«Así que no temas, porque yo estoy contigo;*
> *no te angusties, porque yo soy tu Dios.*
> *Te fortaleceré y te ayudaré; te sostendré con*
> *mi diestra victoriosa».*

Reflexiona

- ¿Qué empuja tu corazón para trabajar diariamente en pos de tu propósito?

- ¿Cuáles han sido tus obstáculos?

- ¿Qué crees que puedes hacer para superar lo que te detiene?

- ¿Has buscado ayuda profesional si tu tristeza no te permite motivarte?

- Escribe cinco motivos por los que puedes agradecer hoy.

Si creas tu negocio teniendo en mente el acto de agradecer constantemente, verás sus beneficios, valorarás más lo que tienes y esto te hará sentir más pleno y feliz. Cuando trabajes con la intención profunda y sincera de ayudar a todos tus clientes, y también les agradezcas a ellos por haberte escogido a ti, los frutos entrarán por la puerta de tu negocio.

Capítulo
SIETE
MIEDO QUE PARALIZA

El miedo es razonable y es normal, pues, en su justa medida, es una forma de protegerse. El problema está cuando ese miedo paraliza, siembra ideas limitantes, obstáculos absurdos que bloquean la mente con la falsa realidad de que no se puede luchar para vencer. En ese punto los miedos impiden lograr lo que eres capaz de hacer. Por eso hay que luchar en su contra y el primer paso para vencer el miedo es identificarlo.

Quiero ayudarte con el siguiente ejercicio:

Escribe diez de los miedos que te detienen para empezar tu negocio ya. En este ejercicio, puedes analizar y tratar de entenderte como persona, y al lado de cada miedo anota qué necesitas para sentir seguridad ante ese miedo, cuál es la solución. Cambia tu forma de ver las cosas para tu conveniencia.

	MIEDO	SOLUCIÓN
1.		
2.		
3.		
4.		
5.		
6.		
7		
8.		
9.		
10.		

Si tus miedos para empezar son los gastos, escribe alternativas o algo positivo, por ejemplo:

MIEDO	SOLUCIÓN
1. Muchos gastos	Tener una reserva de mínimo seis meses para empezar

De esa forma, identificas un miedo y planteas una solución.

Ante ese miedo en particular, haz una lista de los gastos mensuales que conlleva tu emprendimiento, y cuáles serían las ganancias estimadas que necesitarías para poder asumir bien tus responsabilidades. Si el miedo es no poder pagar, es entendible, pero planear la solución muestra tu responsabilidad y eso está muy bien.

Otro paso importante que te ayuda a enfrentar los miedos es diseñar un plan de trabajo en donde escribas lo que debes hacer para empezar, incluyendo fechas límite. Por ejemplo, haz una lista de los requisitos legales que debes cumplir para poder abrir tu negocio en el país en el que te encuentras y ponte una fecha en la que debes tener todo listo. Escribe a dónde debes dirigirte, qué documentación debes aportar, cuánto cuestan los trámites. Organizarte y poner soluciones te dará más tranquilidad para ver con claridad tus procesos.

Una vez tengas tus reservas y proceses los requisitos, revisa de nuevo tu plan de trabajo para ahora pasar a la acción. Haz una lista de tus prospectos, aquellas personas a las que le vas a ofrecer tus productos y la forma en que vas a contactar con ellos: amistades, familia, referidos, desconocidos, contactos en redes sociales. Para este punto, concertar una cita con un profesional en mercadeo te ayudará mucho a sacar tu negocio adelante. Estar preparado para poder asumir el riesgo, te dará más seguridad para empezar.

Qué maravilloso es poder conocer tus miedos, de dónde salieron y así poder superarlos para que el pasado no dañe tu presente. Tratar tiene un costo y es el tiempo, pero ¿qué tal si te va bien y puedes multiplicar tu inversión?, ¿y si ocurre un milagro?, ¿y si las personas correctas llegan a ti como ángeles enviados de Dios y puedes cumplir tu propósito ayudando a mucha gente con tu negocio? Es mejor tratarlo todo que no intentar nada.

Si con ese sueño puedes ayudarte a ti y a tu familia, pensar en un objetivo y un resultado exitoso, te ayudará a sentir paz. Tú mereces la oportunidad de dar pasos de libertad sin miedo a lo desconocido, accionando con la esperanza de un mejor mañana. Mereces ser libre de las ataduras que no te dejaban progresar.

En este camino hacia tu nueva vida como emprendedor es normal que sientas miedo de dejar una rutina diaria y una aparente estabilidad y comodidad. Y aunque está bien trabajar para otros, la pregunta es: ¿a cambio de qué estás gastando tu valioso tiempo? ¿Estás contento con lo que haces? ¿Son tus miedos los que te están deteniendo?

Te voy a hacer muchas preguntas ahora, pero por favor toma tiempo para meditar en las respuestas: ¿alguien te hizo daño en el pasado, y no sientes protección de ti mismo para emprender? ¿Te dijeron que no podrías y te lo creíste? ¿Qué experiencias ha tenido esa persona que la lleva a transmitir sus propios miedos? Puede que haya tenido momentos de derrota o fracaso, quizás alguien robó sus sueños y ahora solo está reflejando en ti un miedo que puede continuar por generaciones. ¿Necesitas sanar esa herida? ¿Necesitas perdonar? ¿Qué es lo que te detiene? ¿Es el miedo a perder la comodidad que tienes, a no sentirte a salvo? ¿O tienes miedo al compromiso?

No importan las razones, no importan las circunstancias, no importan las personas que están transfiriéndote miedo, no importan las voces que te dicen que no podrás. Tampoco importa lo injusta que creas que ha sido la vida contigo, si no has tenido la vida que quisiste, o si tienes deseos frustrados. Nada de eso importa porque **no es tarde para empezar a enfrentar tus miedos y abrazar el éxito que está esperando por ti.**

Encontrar la razón de tus miedos y cómo superarlos es clave para avanzar en tu propósito, para que no te enfermes de ansiedad pensando en lo peor que pueda pasar. Hay personas con grandes talentos y con muchas ganas de empezar, pero con muchos miedos que los llevan a desconfiar. Si este es tu caso, hablar con un profesional te puede ayudar a vencer lo que te detiene, este te puede orientar en cómo superar los miedos y traumas para que puedas empezar a ser feliz. Cada caso es diferente, pero yo te recomiendo que empieces por perdonarte a ti mismo porque, con o sin intención, te has quitado posibilidades anheladas.

Si sabes que ese proyecto es tu meta, vencer tus miedos te ayudará a ser mejor y también a ayudar a otros a vencerlos, especialmente a las personas de tu equipo. Por ejemplo, uno de los miedos en los equipos de ventas es el miedo al rechazo. Tú necesitas ayudarlos a superarlo porque si no lo hacen, pueden disminuir las ventas y afectar sus propios ingresos y también los tuyos.

¡Lánzate e inténtalo!, y si te caes, ¡sacúdete y levántate! No pasa nada, está bien fracasar a veces. ¿Qué puede pasar? Que seas feliz sabiendo que lo intentaste, que luchaste por tu sueño, que creciste como persona, que no te estancaste. No seas como muchos que solo miran cómo otros triunfan, frustrados porque no tienen la vida que buscaban o soñaban.

Historia de poder

Lidia llevaba años en su trabajo, pero el espíritu emprendedor que tenía escondido en su interior la hacía sentir frustrada por no tener su propio negocio. Ella estaba llena de inseguridades, no confiaba en la gente, no tenía fe en nada, ni creía en algo más fuerte que ella que pudiera protegerla. Tenía miedo, un miedo que comenzó en su infancia.

Cuando Lidia era pequeña vivió dos situaciones fuertes de abuso de las que no pudo escapar y en las que ni sus padres pudieron defenderla. En ese momento se sintió desprotegida y asumió dentro de sí que si no había podido cuidar de ella misma, mucho menos sería capaz de tener algo a su cargo. Mentalmente no se sentía capaz de tomar decisiones inteligentes. Además, tuvo una niñez llena de mucha violencia que le provocó miedo al conflicto, lo que en su presente le hacía evitar cualquier confrontación o todo lo que le requiriera solucionar un problema con un cliente, aunque fuera de forma amable. Todo su potencial estaba siendo opacado por traumas y miedos.

Esta situación le hacía mucho daño, y no solo estaba afectando sus sueños, sino también sus relaciones en el trabajo, con su familia y amigos, e incluso con su pareja. Ella sentía culpa por aquella situación que la tomó por sorpresa y que en la inocencia de su corta edad no supo manejar.

Pero, a pesar de sus miedos, Lidia decidió hacer algo en su presente para cambiar su futuro y buscó ayuda profesional. Su terapista empezó a trabajar cada uno de sus traumas y le enseñó cómo perdonarse a sí misma y a otros, entendiendo que los demás también tienen sus propios traumas que los llevan a actuar incorrectamente. Le enseñó a aplaudirse por haber salido de esa situación, a olvidar su pasado y trabajar su presente. Le ayudó a reconocer la nobleza de su corazón y también le dio herramientas para identificar situaciones de peligro para poder huir de ellas.

Lidia empezó a sanar, a trabajar con su autoestima y a vencer sus miedos. Su espíritu emprendedor salió de su escondite y después de un tiempo de trabajo en sí misma, pudo dar los pasos para emprender su negocio de inversiones en propiedad raíz, con la convicción de que podría protegerlo. Hoy tiene más de diez propiedades y vive de sus rentas. Identificar sus temores, enfrentarlos y sanar fue la clave para no permitir que el miedo que paraliza la parara de lograr sus objetivos.

Tú vales más que cualquier momento fuerte, que cualquier persona que te haya hecho daño, que cualquiera que se quiera aprovechar de ti. Si te has sentido identificado con la historia de Lidia, piensa cómo puedes sacar ese dolor. Descarga tus sentimientos, escribe sobre ello, habla con alguien de tu confianza, busca ayuda profesional, pero haz algo para avanzar y sigue tu camino sin miedo.

Filipenses 4:6-7, NVI

«No se inquieten por nada; más bien, en toda ocasión, con oración y ruego, presenten sus peticiones a Dios y denle gracias. Y la paz de Dios, que sobrepasa todo entendimiento, cuidará sus corazones y sus pensamientos en Cristo Jesús».

¿Encontraste las puertas?

S entirnos seguros con nuestro plan de acción, será la puerta que nos llevará a superar nuestros propios obstáculos con agradecimiento y enfrentar nuestros miedos a emprender. De esa forma no dependeremos de que nos den una oportunidad, y viviremos más sanos de adentro hacia afuera. Ese poder será la lámpara que alumbrará nuestro camino al éxito.

Esto lo puedo decir con convicción, porque lo que perdí algún día —familia, bienes materiales y supuestos amigos—, Dios me lo multiplicó en abundancia. Aprendí a empezar de cero y a levantarme con Él; a caer de rodillas llorando y a saber que sin Él no soy nada, pero que con Él, todo se puede. Sin querer me volví una experta en caer y levantarme, y si tuviera que empezar desde cero otra vez, no siento miedo porque sé que Él está conmigo.

Sí, se puede, tú sí puedes alcanzar todos tus sueños, así tengas que empezar hoy, soy testimonio de eso. El agradecimiento que siento con Dios por prestarme tanto en esta tierra y permitirme administrar lo que es suyo para vivir lo mejor que pueda con lo que me ha dado, es más grande que yo misma. Por eso le pido que cuide mi camino, que me proteja a mí y a mi familia de todo mal y peligro, y que me siga utilizando humildemente para ayudar a otros a salir adelante, como hoy espero ayudarte a ti con este libro.

Tuve la bendición de encontrar la motivación para alcanzar mis sueños, de no tener miedo de intentar lo que quería, teniendo en mi mente que si funcionaba o no, viviría la experiencia como parte de la aventura de mi vida. Comprobé por mí misma que a lo que se le ponga corazón, pasión, planificación, positivismo y agradecimiento, me ayudaría a sobrepasar los obstáculos. Me acostumbré a pensar que hasta lo malo que me pasaba tenía como propósito poder protegerme de algo peor o hacerme más fuerte para algo más grande que venía pronto. Aprendí a creer que perder algo muchas veces significa tener algo mejor.

Emprender es un sacrificio que vale la pena, Encontrar un buen propósito me ha llenado de satisfacción, no solo por lo material, sino por aquello que llena el corazón, porque lo material no va para el otro mundo y aprender a dejar ir fue esencial para superar los obstáculos con agradecimiento. Cuando hablo de dejar ir, me refiero a los sentimientos causados por personas que hacen daño, perdonar con paz y orar por ellos para poder sanar.

Tenía que empezar y empecé, y hoy sigo caminando, enfrentando retos que nunca pensé que podría superar, pese lo que pese, sintiéndome cada vez más liviana en la medida en que encuentro soluciones.

Ya encontraste la llave que tenías en tus manos y has cruzado una de las muchas puertas que encontrarás en tu camino. Algunas abrirán y otras no, pero tú continúa, que todavía hay mucho que aprender. ¡Ánimo, valiente!, cobra ánimo y sigue leyendo.

Tercera parte:
Llaves que abren y cierran puertas

Capítulo
OCHO
MENTALIDAD VENCEDORA

Ahora que has trabajado el miedo que te paraliza, debes combatirlo con la mentalidad correcta. En este capítulo encontrarás algunas de las herramientas que necesitarás para hacerlo con más facilidad.

Es normal que cuando te enfrentas a la realidad del emprendimiento, los problemas te agobien y te lleven a ver las situaciones más grandes de lo que en realidad son. Pero sin importar si son grandes o pequeñas, una mentalidad vencedora es una de las llaves que abre la siguiente puerta que necesitas cruzar para salir adelante.

Una mentalidad positiva te ahorra energía, te ayuda a no tomarte nada personal, a entender que las situaciones simplemente suceden, y a resolver problemas solo enfocándose en la solución, sin enojo, tristeza ni frustración. Esta mentalidad facilita la capacidad de enfrentar desafíos y simplemente avanzar con planes mejores y más grandes. Las personas con este tipo de mentalidad logran mucho, pues es una herramienta asombrosa. Tener una mentalidad positiva les permite, incluso, disfrutar de los problemas.

Por otra parte, las personas que piensan que todo está en su contra, se enojan basándose en suposiciones y sufren mucho porque asumen que la gente los odia, lo que provoca en ellos un sentimiento de rechazo. Para estas personas es muy difícil seguir adelante, simplemente porque acogen como cierta su interpretación negativa de las cosas. Pelear por un problema que solo existe en la imaginación, es un veneno fuerte para el alma, que únicamente afecta a la persona que lo vive. Una mentalidad negativa provoca que se pierdan amigos, trabajos y oportunidades en la vida.

Mi invitación es que si estás luchando con ese tipo de mentalidad, trabajes por cambiarla. ¿De qué forma? No asumiendo nada, comunicándote, preguntando en vez de acusar, escuchando y entendiendo el porqué de las cosas, y sobre todo, tomando decisiones acertadas, solo después de analizar las situaciones con una perspectiva real y con argumentos confirmados.

Te quiero contar una anécdota acerca de esto:

Cuando fui por primera vez a los barrios de extrema pobreza para ayudarlos a abrir sus propios negocios, como trabajo voluntario en la comunidad, encontré un factor común que impedía avanzar a muchas personas. No fue la escasez de recursos, porque desde el voluntariado se les proporcionó el equipo mínimo para abrir su pequeño negocio de modo que pudieran ayudar a mantener a sus familias; fue lo que habían construido en sus mentes. Su argumento era: «los ricos son malos». A pesar de la escasez, escuché excusas como: «el dinero solo trae problemas y yo no quiero complicarme la vida», «soy demasiado viejo para empezar» o «estoy demasiado cansado para hacer algo». Se acostumbraron a pensar que vivir con menos era mejor, aunque eso supusiera estar sin trabajo, tener muchos niños en casa pasando hambre, estar en las calles consumiendo drogas, tristes, desesperanzados, vacíos y sin valores.

Yo estaba impactada, escuchando millones de quejas que no terminarían, pues no buscaban soluciones. No entendía cómo podían pensar así, si cuando usas tus talentos no te sientes cansado. No comprendía esa forma de pensar, si necesitaban precisamente el dinero para solucionar muchos de sus problemas. Al contrario de lo que pensaban, se estaban complicando sus vidas cada vez más al no poder visitar un doctor, o no poder comprar comida o medicinas. Si necesitaban el dinero, ¿entonces por qué pensaban que la prosperidad financiera era mala?

Quiero aclarar que no todos eran así, pero el miedo al progreso y la comodidad en la miseria era algo común en sus historias de vida en un barrio que ellos llamaban malo y peligroso. La palabra miedo fue mencionada muchas veces, pues estaba establecida y afirmada en sus mentes.

No sé si tú también vives algo semejante y si hay sentimientos ocultos hacia las personas prósperas y exitosas, pero si es así lo primero que debes hacer es analizar qué sientes cuando ves a alguien que económicamente está mejor que tú. Entonces, en vez de compararte de una forma negativa, pregúntate e incluso investiga cómo esa persona llegó a conseguir lo que tiene, cómo afrontó los tiempos difíciles, cómo empleó la fe para seguir adelante, incluso con dolor en el cuerpo y en el corazón, y también analiza si su mentalidad es positiva o negativa.

Cambiar la mentalidad sobre las personas con dinero te hará alguien capaz de aprovechar grandes posibilidades financieras, sin ningún tipo de culpabilidad por obtener frutos de tus acciones. Recuerda que las personas que ven la vida de manera positiva, resuelven los problemas más rápido.

Hagamos un ejercicio rápido de análisis personal y responde las siguientes preguntas con sinceridad:

• Cuando ves a un empresario exitoso y con mucha prosperidad económica, ¿qué piensas?

• ¿Crees que hay personas malas y buenas, sean ricos o pobres?

- ¿Crees que mereces prosperar?

_____

_____

- ¿Crees que debes cambiar tu mentalidad? ¿De qué forma y por qué?

_____

_____

- ¿Crees que con algún comentario de derrota estás afectando sin querer tu prosperidad y la de los demás?

_____

_____

- ¿Cuál crees que es la mentalidad de las personas que no progresan económicamente?

_____

_____

Debemos vivir una metamorfosis en la que reconozcamos que aunque no somos perfectos, somos de aquellos que desean transformarse en su mejor versión en esta vida para poderla disfrutar. Creamos que todo lo viejo que nos destruye debe irse y enfoquémonos en alejarnos de todo lo tóxico, incluyendo nuestras mentes. Digo esto porque nuestras mentes también suelen ser tóxicas cuando no las controlamos, cuando seguimos viviendo de las memorias del pasado, arrastrándolas a nuestro presente, permitiendo que nos detengan.

Quiero aclarar que esto no quiere decir que no podamos recordar nuestro pasado, eso sería imposible porque todos tenemos una historia, en la que hemos vivido problemas y todo tipo de circunstancias. La vida no es fácil, a unos les pasa más y a otros, menos, pero cuando hay memorias dolorosas hay que buscar con urgencia cómo sanarlas para que eso no nos detenga. Para eso hay que ser selectivos con quién compartimos nuestros dolores. Hacerlo con personas que no nos apoyan, provocará más dolor del que tenemos, pero si nos dirigimos a alguien que es capaz de ponerse en nuestro lugar y parar nuestras exageraciones mentales, podremos encontrar una forma diferente de ver los problemas creando así un ambiente positivo y saludable en nuestro interior y nuestras relaciones.

Como ya te he dicho, yo soy una persona de fe, y para mí la primera opción para cambiar la mentalidad y sanar es buscar de Dios y su Palabra, y creer que Él puede conectarse con las personas indicadas para que lleguen a mí, incluso si hay necesidad de buscar ayuda profesional. No sé cuál es tu creencia o tu máximo poder, pero sentir esa protección es clave para salir adelante y requiere de mucho esfuerzo por tu parte, porque la única persona que va a obtener todas las ganancias y beneficios eres tú, si buscas ayuda y luchas por recuperarte. Recuerda que entre peor haya sido el problema, más te tendrás que esforzar, pero al final encontrarás solución ante eso que has tenido ahí molestando, como una piedra gigante en el zapato.

Jeremías 30:17, LBLA

«*Porque yo te devolveré la salud, y te sanaré de tus heridas*» —*declara el Señor*—»

La vida siempre pondrá delante de nosotros muchas formas de solucionar diferentes situaciones, pero está en nosotros escoger con la mentalidad correcta, siempre abiertos y dispuestos a entender nuestras experiencias y a ser flexibles al cambio. Este cambio consiste en dejar atrás nuestras viejas formas de solucionar los problemas y encontrar unas nuevas, analizando que si en el pasado hubo asuntos que no funcionaron, tal vez haciendo ciertos cambios podamos salir adelante con un mejor espíritu y una mentalidad vencedora.

Las personas con mentalidad exitosa, con fe y acción, elevan a los demás hasta el final, y dan hasta lo que no tienen, con pasión en el corazón, creyendo que si Dios está con ellos todo es posible.

Capítulo
NUEVE
PON FE EN TUS OBRAS

Estamos encontrando llaves que nos ayudan a abrir y cerrar puertas, y la primera fue cambiar la mentalidad que paraliza por una mentalidad vencedora. Pero si queremos abrir más puertas es necesario pasar de la mente al espíritu y entonces preguntarnos: ¿cómo estamos cuidando nuestro espíritu?, ¿en qué creemos y confiamos?, ¿quién nos guía?

Uno de los hábitos claves para muchos empresarios exitosos, con mentalidad ganadora, es llenar diariamente su espíritu con fe, como una tarea esencial. Todos funcionamos de forma diferente, con creencias individuales que son respetables; todos tenemos nuestras propias convicciones, y en el respeto está la confianza de poder dar nuestra opinión, aunque sea distinta. El respeto nos lleva más lejos con la convicción de que cada quien escoge si seguir o no con lo que le enseñaron en la infancia, sumado a lo que por sí mismo ha aprendido cada día para construir un camino mejor.

En mi caso, sin mi fe, nunca habría podido salir adelante, pues en donde había muchas posibilidades de que las cosas salieran mal, era muy difícil avanzar sin la esperanza de que todo iba a estar bien. Esa fe que me impulsó y motivó, y que aún lo sigue haciendo, es la que me ha permitido ver cómo los proyectos surgen y crecen de formas asombrosas; son milagros tras milagros que hoy provocan en mi vida un profundo agradecimiento por los resultados y ningún arrepentimiento por haber tenido fe.

Confiar en el Espíritu Santo se convierte en una luz en el camino, pues al buscar su ayuda y guía que nos ilumina, vamos con paso más firme, caminamos con más confianza, nuestro espíritu se renueva, las actitudes cambian y los pensamientos se vuelven mucho más positivos. Aquí es donde decimos que se adhiere a la rama de abrir posibilidades, de abrir nuestra mente y nuestro corazón, a esperar con paciencia que hagamos nuestra parte. La fe es una herramienta de poder que nos ayuda a mantener la calma cuando estamos preocupados, a confiar en las promesas, a descansar en que todo va a estar bien, disfrutando así el proceso.

Es tiempo de quitar el miedo, las limitaciones y los prejuicios frente a lo que crees, de ignorar lo que dirá la gente y empezar a luchar por lo que tú quieres. Lucha por complacer a Dios siendo íntegro, disciplinado, vulnerable y empático, sin juzgar

a nadie. Atrévete para que desnudes tu alma frente a Dios y
así Él pueda entrar en tu corazón y utilizarte para ayudar a
otros con los talentos que Él te ha dado. De esta forma tendrás
mucha prosperidad porque si te enfocas en ayudar, el dinero y
la abundancia llegarán.

Haz lo que tengas que hacer con firmeza y disciplina, y
sé que lo lograrás. No estás solo, no estás sola, simplemente
somos nosotros quienes nos apartamos al no buscar esa ayuda
profesional, al no confiar en que Dios va a mandar las personas
indicadas. Confía en que hay un tiempo de formación divina,
que hay esperanza, que hay luz.

Designa un tiempo para hablar con Dios sobre las
decisiones que debes tomar. En cada paso que des, habla
con Él como si fuera un amigo. Desahógate, saca todo eso
que tienes en tu corazón. Hay tiempos que son para estar a
solas con Dios, como cuando Él estuvo en el desierto, que
se convierten en temporadas de preparación para cuando
vengan los destructores que te intentarán dañar. El mundo no
es perfecto, van a acercarte a ti personas que son destructoras,
que llegarán como parásitos a depender de ti y lo que buscan
es atrasarte, pero que si mantienes una mentalidad vencedora
y alimentas tu espíritu, no lo lograrán.

También hay tiempos para simplemente dedicarte a ti, a tu
compañía, a tus objetivos, a crecer para poder ayudar a otros,
a levantarse y no a caer. Son tiempos para volar agradeciendo
por todo lo que hizo Dios, porque recuerda: es Él quien lo ha

hecho, no permitas que tu ego te separe de Él y de todo lo bonito que tiene para ti. No permitas que el orgullo te destruya y te lleve a tu peor estado. Habitúate a recibir la prosperidad y el triunfo con humildad y agradecimiento, sabiendo que sin Dios no eres ni tienes nada. Tenerlo a Él es el regalo más hermoso que puedes recibir en esta vida; es el que te permite salir de tus problemas, tomar decisiones con claridad, y recibir la abundancia en tu vida junto a las personas que te rodean.

Fe para multiplicar

Eran unos humildes pescadores. Estaban cansados y frustrados porque habían trabajado toda la noche sin conseguir aquello que era el sustento para sus familias. Todos sus intentos habían sido infructuosos, las redes estaban vacías y las fuerzas se habían quedado en el fondo del mar, hasta que Jesús entró en escena. Una instrucción que parecía absurda y la obediencia de un hombre que actuó en fe provocaron un milagro.

Seas cristiano o no, es probable que hayas escuchado o leído esta historia bíblica, que se encuentra en Marcos 6:42-44, en la que Jesús hizo que unas redes sin nada se llenaran casi a reventar. Una historia con mensaje en la que la fe provocó multiplicación.

¿Cuál es el mensaje que tengo para ti, basado en esta historia? Que Dios quiere que prosperes económicamente. Así como lo lees: Dios está interesado en que los recursos que obtienes de tu esfuerzo y talento sean multiplicados y que con esos recursos tú crezcas y proveas para otros.

Dios vio el esfuerzo de un hombre con talento y multiplicó sus resultados, trayendo prosperidad para él y provisión para el pueblo, pues ese pescado se vendía en el mercado para que el pueblo tuviera provisiones y no tuvieran hambre. Era una relación ganar-ganar: estaban ganando los pescadores al vender sus productos y ganaba la gente al tener alimento. El famoso milagro de la multiplicación de los peces nos llama a confiar en que cuando ofrecemos nuestros talentos con una mentalidad vencedora y fe, Dios con todo su poder hará grandes cosas por nosotros y multiplicará nuestros recursos ordinarios, haciendo cosas extraordinarias.

Dios le da lo mismo a mucha gente, y cada uno escoge qué hacer con lo que Dios les da. En las Escrituras, el Señor nos entrega múltiples ejemplos en donde nos muestra cómo producir el retorno esperado con todo lo que Él nos da en abundancia.

> *El éxito bíblico consiste entonces en obrar en el aquí y ahora, confiando en que Dios siempre nos da lo que necesitamos para hacer lo que nos ha llamado a hacer.*

Mateo 25:14-30 (LBLA) nos relata la parábola de las bolsas de oro, o de los talentos, como es conocida popularmente. Léela conmigo:

«Porque el reino de los cielos es como un hombre que, al emprender un viaje, llamó a sus siervos y les encomendó sus bienes. Y a uno le dio cinco talentos,

a otro dos, y a otro uno, a cada uno conforme a su capacidad; y se fue de viaje. El que había recibido los cinco talentos, enseguida fue y negoció con ellos y ganó otros cinco talentos. Asimismo, el que había recibido los dos talentos ganó otros dos. Pero el que había recibido uno, fue y cavó en la tierra y escondió el dinero de su señor.

Después de mucho tiempo vino el señor de aquellos siervos, y arregló cuentas con ellos.

Y llegando el que había recibido los cinco talentos, trajo otros cinco talentos, diciendo: "Señor, me entregaste cinco talentos; mira, he ganado otros cinco talentos". Su señor le dijo: "Bien, siervo bueno y fiel; en lo poco fuiste fiel, sobre mucho te pondré; entra en el gozo de tu señor".

Llegando también el de los dos talentos, dijo: "Señor, me entregaste dos talentos; mira, he ganado otros dos talentos". Su señor le dijo: "Bien, siervo bueno y fiel; en lo poco fuiste fiel, sobre mucho te pondré; entra en el gozo de tu señor". Pero llegando también el que había recibido un talento, dijo: "Señor, yo sabía que eres un hombre duro, que siegas donde no sembraste, y recoges donde no esparciste, y tuve miedo, y fui y escondí tu talento en la tierra; mira, aquí tienes lo que es tuyo". Pero su señor respondió, y le dijo: "Siervo malo y perezoso, sabías que siego donde no sembré, y que recojo donde no esparcí. Debías entonces haber puesto mi dinero en el banco, y al llegar yo hubiera recibido mi dinero con intereses. Por tanto, quitadle el talento y dádselo al que tiene los diez talentos. Porque a todo el que tiene, más se le dará, y tendrá en abundancia; pero al que no tiene, aun lo que tiene se le quitará. Y al siervo inútil, echadlo en las tinieblas de afuera; allí será el llanto y el crujir de dientes".

No es mala tu prosperidad ni cómo decidas manejarla, lo importante es que tengas conciencia de que nuestras acciones siempre tendrán una consecuencia, sea buena o mala. Cosecharemos nuestros frutos, porque Dios siempre dará más a la gente que multiplica lo que Él da.

Reflexiona

• Para ti, ¿cuál es el significado bíblico de multiplicarse?

• ¿Crees que te has esforzado en cultivar para los tiempos difíciles?

• ¿Has utilizado tus talentos con mentalidad vencedora y fe?

Cuando Dios estableció mandatos para nosotros, no lo hizo porque sí, sino porque estaba pensando en nuestra protección y bienestar. Muchos de ellos no son fáciles, pero te animo a poner en sus manos todos tus esfuerzos, fe en tus obras para que veas la multiplicación en tu vida y tu proyecto empresarial.

Si estás interesado en salir adelante, en organizar tus finanzas, en que tus negocios prosperen, hay que dar pasos y mientras se llega, disfrutar el proceso. Permanece, entrégate a Él, pregúntale todas tus inquietudes, cambia tu forma de pensar, ora y espera con paciencia. Dios te ama y te protege y no te dejará caer. Eres su hijo, su consentido y quiere lo mejor para ti, pero respeta siempre tu decisión, pues te dio libre albedrío para que hagas uso de él.

Si tú realmente quieres progresar y quieres hacer todo esto, lo vas a conseguir, pero si no es eso lo que deseas, si no quieres hacer nada ni estar en Él, también es tu decisión. Todos tenemos diferentes caminos y esta solamente es una opción de vida.

Si estás confundido y no sabes por dónde empezar, te propongo dos sencillos pasos:

1. Haz una lista de tus metas financieras y espirituales. No importa si crees que son pequeñas o insignificantes, o si, por el contrario, piensas que son inalcanzables, solo llévalas a Dios con organización, escribe la solución o plan al lado de cada meta y confía en Él.

2. Repite esta oración:

Señor, estoy preparado para abrir mi corazón a ti, para aprender de ti, para que tú me guíes para obedecerte. Señor, ayúdame en esas áreas que me duelen, te entrego todas mis emociones, necesito tenerte cerca en los momentos de prueba y de llanto, pero también en las alegrías y los triunfos. Te entrego mi negocio, mi familia, mis empleados actuales o futuros. Multiplica mis esfuerzos, mis

*finanzas, mis recursos. Ayúdame a poner fe en mis obras y a
encontrar en tu palabra todo lo que necesito para prosperar en
todas las áreas y así ayudar a otros. Gracias por permitirme estar
cerca de ti. En el nombre de Jesús, amén.*

¡Felicidades! Si lo has hecho, has dado un gran paso. Eso
no significa que todo te resultará fácil y perfecto, porque en
medio de nuestras imperfecciones hay ciertas cosas que se te
harán más difíciles de seguir, pero Él conoce tu corazón. Dios
sabe que todo lo que estás haciendo es para salir adelante,
para levantar tu negocio, para que a tu familia y las personas
a tu alrededor les vaya bien.

Es tiempo de ver lo que tú eres y tienes y no lo que otros
dicen de ti. Cree lo que Dios dice que eres. Si Él te hizo y te
dio todos tus talentos, es porque te conoce y sabe de lo que
eres capaz. Estás en esta tierra para cumplir un propósito
gigante, solo maneja tu mente, tus emociones y tu voluntad
para que tengas un alma llena de abundancia y seguridad para
tus negocios. Confía en que todo va a estar bien en medio
de cualquier experiencia o proceso de cambio. Vienen cosas
buenas para ti, si en tu alma y en tu decisión das pasos firmes.

Avanza poniendo fe en tus obras y deja que Dios
te muestre cómo su poder es perfecto en tu debilidad.

Capítulo
DIEZ
LA PEREZA Y LOS
NEGOCIOS

¡Ojo con la pereza!

Desde muy pequeños hemos escuchado que ser perezosos no es bueno para nosotros y que la pereza es «la madre de todos los vicios», pero ¿alguna vez te has puesto a pensar cuánto podría afectar la pereza a tu economía? Los perezosos quieren rechazar todo lo que representa un trabajo extra y en el caso de sus ahorros, a veces es lo mismo. Por ejemplo: una persona perezosa prefiere quedarse en el mismo banco para evitar la fatiga de sacar el dinero y abrir una cuenta en otro, aunque eso le represente mayores intereses y beneficios. Por eso, si la pereza no es conveniente en ningún área de la vida, cuando se trata de tus finanzas y negocios, menos. Es necesario que entiendas que debes deshacerte de ella para ver tus finanzas crecer.

A continuación te presentaré varias definiciones y citas, algunas bíblicas y otras no, que te ilustran mejor este concepto:

- El diccionario define la pereza como «Negligencia, tedio o descuido en las cosas a que estamos obligados»[3].

- Proverbios 6:4-11 nos da una definición de la pereza y aconseja observar el trabajo diligente y prevenido de la hormiga para no tener que pagar las consecuencias de una vida improductiva.

- El escritor, poeta, dramaturgo y crítico literario y de teatro francés. Jules Renard dijo: «La pereza no es más que el hábito de descansar antes de estar cansado».

- Proverbios 19:15, dice: «Tanto duerme el perezoso que acaba pasando hambre». El querer continuar durmiendo, el buscar solo la siestecita o el descansito, y cruzar los brazos para no trabajar, tiene fatales consecuencias, especialmente en la economía. Perdóname si te asusto, pero, si eres así, acabarás en la más terrible pobreza, ya que la pereza es su raíz. Una cosa es descansar porque lo necesitas, porque fuiste productivo ya, porque te lo ganaste, porque mereces disfrutar después de un tiempo productivo, o por salud, y otra muy distinta es no hacer nada por pereza.

3   Real Academia Española. «Pereza». DLE. Último acceso: 23 de febrero de 2024. Disponible en: https://dle.rae.es/pereza

• La Biblia exalta mucho la actividad y el trabajo. En el caso de Noé, él se pasó años construyendo el arca. Si hubiese sido un perezoso, habría construido un pequeño bote y tomado los animales más bonitos y hasta incompletos, solo por comodidad. Entonces hoy no estaríamos contando la historia.

Indicadores de un perezoso

• Un perezoso siempre encuentra excusas para no hacer su trabajo, y muchas veces son excusas sin sentido. Proverbios 22:13, dice: «El haragán siempre pone pretextos para no ir al trabajo; dice que un león en la calle se lo quiere comer».

• El perezoso tiene malas relaciones e irrita a aquellos que lo tienen que mantener, pues no es fácil estar queriendo ayudar a alguien que no se quiere ayudar a sí mismo.

• El perezoso se la pasa esperando que la suerte le ayude; si llega, bien, y si no, también. Vive esperando el día mágico en que suene el teléfono con una gran noticia que cambie su economía, o que le llegue un sobre que le anuncie que ha sido el ganador de cosas sin trabajarlas. No tiene en su mente la idea de que tiene que trabajar su destino, que tiene que luchar por su libertad financiera, que tiene que crear su propia riqueza.

• El perezoso es un experto procrastinador y siempre deja para mañana lo que puede empezar a hacer hoy. Con esto no quiero decir que esté mal planificar para el futuro, pero el futuro se comienza a labrar desde hoy, paso a paso, poniendo ladrillo a ladrillo con el objetivo de construir tu vida.

La pereza te lleva a perder dinero rápidamente

• **Pereza de trabajar en tu prosperidad**

El perezoso falla en conseguir abundancia por su negligencia al descuidar los recursos que tiene.

Proverbios 24.30-31, BLS

«En cierta ocasión pasé por el campo y por la viña de un tipo tonto y perezoso. Por todos lados vi espinas. El terreno estaba lleno de hierba, y la cerca de piedras, derribada».

Proverbios 27:23-27, NVI

«Asegúrate de saber cómo está tu ganado; cuida mucho de tus rebaños; pues las riquezas no son eternas, ni la corona está siempre segura. Cuando se limpien los campos y brote el verdor y en los montes se recoja la hierba, las ovejas te darán para el vestido y las cabras para comprar un campo; tendrás leche de cabra en abundancia para que se alimenten tú, tu familia, y tus criadas».

- **Pereza en tener un propósito**

Pareciera extraño, pero el deseo de recoger sin propósito, sin ayudar y sin buenas intenciones, se llama avaricia y puede llevar a la pobreza. Muchas personas que desean tener más, invierten en lugares equivocados donde terminan estafados, porque se enceguecen. Para la persona tacaña, el dinero se puede convertir en un fin y no en un medio para lograr otras cosas más que el dinero. Ahorrar es una buena práctica, pero debe ser para un fin bueno.

> **Proverbios 11:6, BLS**
>
> *«Cuando somos honrados, estamos a salvo del mal; pero a los traidores su ambición los domina».*

> **Proverbios 28:22, BLS**
>
> *«Quien solo vive pensando en dinero, acabará más pobre de lo que se imagina».*

El avaro se puede apurar por conseguir su fortuna, sin saber que le puede llegar la miseria. El avaro vive afanado, sin paz y sin propósito, y se llena de angustia y tristeza cuando lo pierde. Es decir, siempre está temiendo por su dinero y nunca piensa que lo perderá, pero hay que dejar ir para recibir.

Una cosa es ser diligentes y sentir satisfacción en conseguir una meta, y otra es el desespero, pensar con ansiedad, y tomar decisiones rápidas sin meditarlas bien.

> ### Proverbios 21:5, BLS
> *«Cuando las cosas se piensan bien, el resultado es provechoso.*
> *Cuando se hacen a la carrera, el resultado es desastroso».*

- **Pereza en escoger bien con quién te asocias**

Mucho dinero se ha perdido a causa de inapropiadas e imprudentes asociaciones, sin analizar lo importante que son. Una asociación es como un matrimonio y tu negocio, un bebé. Proverbios exhorta a evitar a personas que nos llevan a la miseria. Piensa bien cómo te relacionas, qué decisiones tomas, por qué escogiste a las personas en tu negocio, a tu pareja, a tus socios.

Que el desespero y la pereza de no tomar el tiempo para analizar, no te afecte al punto que le des parte de tu negocio a alguien que lo pueda arruinar o hacer tu vida más difícil. El progreso va asociado con paz y armonía, porque los problemas llegarán, pero lo que depende de ese ánimo positivo es que los puedas solucionar apropiadamente.

- **Pereza en tomar buenas decisiones**

Es muy bueno vivir bien, porque, si se puede hacer cómodamente y sin preocupaciones, ¿por qué no hacerlo? Pero esto lo recibimos por las decisiones que tomamos.

Dos factores que llevan a la pobreza rápida son el despilfarro y la extravagancia sin tener cómo pagar. Si lo tienes y cómodamente puedes complacer tus gustos, hazlo sin sentirte culpable, al fin y al cabo son tus gustos y has trabajado duro para ello; pero si no lo tienes, no seas irresponsable tomando decisiones solo por placer.

No seas fiador de nadie y mucho menos si esa persona no ha probado ser responsable o no tiene el tiempo suficiente para hacerlo. Puedes llevarte muchas decepciones, frustraciones y problemas. Proverbios insiste mucho en evitar esto:

Proverbios 6:1-5, BLS

«Querido jovencito, si algún amigo te pide que respondas por él y te comprometas a pagar sus deudas, no aceptes ese compromiso, pues caerás en la trampa».

Proverbios 6:3, BLS

«No dejes que tu amigo te atrape; ¡mejor ponte a salvo! Te recomiendo que vayas a verlo y le ruegues que no te comprometas. Que no te agarren de tonto; mejor ponte a salvo, como huyen del cazador, las aves y los venados».

Proverbios 17:18, BLS

«Hay que ser muy tonto para salir fiador de otros; ¿por qué pagar deudas ajenas?»

Proverbios 20:16, BLS

«Si te comprometes a pagar las deudas de un desconocido, te pedirán dar algo en garantía y perderás hasta el abrigo».

Proverbios 22:26-27

«No te comprometas a pagar deudas que no sean tuyas, porque si no las pagas te quedarás en la calle».

Recuerda: es nuestra responsabilidad ayudar en algo para crecer en unión y progresar todos de forma más fácil para conveniencia de todos. Verás cómo ayudando y contribuyendo con tu familia, progresarás, evitarás rencores y problemas, todos tendrán más paz y más calidad de vida, y así juntos podrán trabajar con un propósito para ayudar a otros. Eso es crecer en equipo, pero especialmente al interior de la familia hay que tener en cuenta que: si hay una persona que es muy dadivosa, pero hace sufrir a su familia, de nada sirve porque el precio es muy alto y no vale la pena; o, si hay alguien en la familia que trata de vivir en un estándar más alto de lo que puede cubrir, desbalancea el grupo familiar y lo retrasa. Con ellos hay que tener un poco más de cuidado.

- **Pereza para ayudar a otros**

¿Es parte de nuestro progreso ayudar a las necesidades de los pobres o menos favorecidos? Las personas piadosas o sensibles a las necesidades de los otros, siempre están trabajando para proveer a quienes lo necesitan.

En una ocasión fui como misionera a África, fue una gran experiencia, vi mucha necesidad, niños a quienes les faltaban manos y pies, mutilados por sus padres, niños con mosquitos todo el tiempo en su cara, niños comiendo basura en la calle, y demasiada escasez, pero nunca se me olvida que todos tenían las mejores sonrisas que he visto en mi vida. Yo fui a ayudar sin esperar nada a cambio, pero fui una de las personas más ayudadas, espiritual y financieramente, porque, sin buscarlo, después de aquella experiencia, se me abrieron puertas inesperadas.

Después de subarrendar por mucho tiempo, Dios tocó el corazón de los que tenían el local para aceptarme en los términos que yo necesitaba y la cantidad que podría pagar cómodamente. Para mí y mis posibilidades en ese momento aquello fue un milagro, que sin yo pedirlo vino como resultado de la generosidad. Luego de estar allí rentando, tuve la oportunidad de tener un local propio y yo poder ser la que podía subarrendar a otros.

Proverbios 11:25

«El generoso prosperará, y el que reanima a otros será reanimado».

- **Pereza para administrar tu tiempo**

Si quieres avanzar y prosperar, necesitas estar enfocado en el manejo de tu tiempo, haciendo lo que tienes que hacer sin distracciones. ¿Por qué estás perdiendo el tiempo en asuntos personales, durante el tiempo de progreso, cuando deberías estar trabajando por tu sueño?

Si trabajas desde tu casa, ese enfoque es aún más importante porque las distracciones son más, y debes cumplirte a ti mismo un horario, sin otras responsabilidades, sin televisión, ni distractores, incluso los tiempos de alimentación y descanso deben ser planeados. El tiempo asignado para sacar tu proyecto adelante es solo para eso y debes estar enfocado.

Tu enfoque es lo que te lleva a cumplir sueños. Si ya sabes que lo que vas a hacer es bueno para ti, cuando lo ejecutes ni lo pienses, solo hazlo y ya.

Cómo estimular el ánimo y ser libre de la pereza

Somos humanos y es normal que lleguen momentos en donde la distracción, la comodidad, la desmotivación, lo fácil y lo divertido se convierten en tentaciones y obstáculos para lograr nuestros objetivos. Es por eso que debemos prepararnos bien, estimulando nuestro ánimo sin depender de nadie más, pues nuestra propia motivación es nuestra responsabilidad.

Te recomiendo que te hagas las siguientes preguntas para que puedas conocerte y encontrar lo que te estimula a la acción:

- ¿Te motiva leer?

- ¿Miras vídeos de motivación en internet?

- ¿Escuchar música te activa? ¿Qué tipo de música prefieres?

- ¿Qué actividad activa tu creatividad y qué factores te bloquean?

- ¿Practicas deporte?

Otros buenos motivadores pueden ser:

- Pensar en las palabras de alguien conocido que te levanta el ánimo y estimula tus ganas de avanzar.

- Recordar a la persona por la que quieres luchar.

- Pensar en tu propia imagen haciendo lo que te gusta.

- Activar tu fe.

Capítulo
ONCE
SALUD Y PROGRESO
FINANCIERO

La vida muchas veces presenta situaciones que se salen de nuestras manos, como un problema de salud genético o un accidente, pero, si dentro de lo que depende de nosotros podemos cuidar de nuestra salud, ¿por qué no hacerlo?, ¿para qué tener los frutos de un negocio, si no los podemos disfrutar a plenitud por estar en una cama?

El tema de la salud, tanto mental como física, es muy importante, pues si no buscamos estar de la mejor forma posible, nuestros negocios se pueden derrumbar, entre otras cosas, porque una salud deteriorada puede salirte muy cara.

Un cuerpo descuidado y débil se refleja en unos resultados empresariales descuidados y débiles.

El dueño, CEO, o *manager* de un negocio puede estar aglomerado de trabajo y se puede llegar a sentir como en una caja de cartón, sin ventanas, sin salida, sin escape y simplemente colapsar.

Cuidar tu salud es una de las armas poderosas con las que cuentas para poder disfrutar todos tus esfuerzos. Por eso, en este capítulo quiero hablarte de lo crucial que es perder el miedo a descubrir cómo realmente está tu salud, a tomar responsabilidad para estar mejor físicamente, a luchar para que puedas tener resultados en tu empresa y calidad de vida, incluso si una enfermedad inesperada te detiene. Yo no puedo indicar soluciones específicas para ti porque eso debe hacerlo un experto en el área de la salud que conozca tu caso y te diga qué puedes hacer para sentirte mejor, con más energía, qué alimentos son para ti y cuáles te afectan, y cómo poder disfrutar tu máximo potencial. Lo que sí puedo hacer es impulsarte a estar lo mejor que puedas estar para que ganes dinero y disfrutes de tu familia.

Quiero contarte la historia de Catherine, una empresaria próspera con un negocio estable desde hace años y un equipo excelente que hacía que funcionara aunque ella no estuviese allí. Pero por cuestiones de salud y de un accidente inesperado, llegó un momento en el que no sabía qué hacer con su vida, estaba un poco perdida y con dolor constante. Aun así, trabajaba día a día, ignorando su problema hasta que se vio obligada a operarse y estar muchos días en cama.

Fue una temporada muy complicada, pero ella ni siquiera se quejaba. Su familia y su trabajo la ayudaron a salir adelante. Con su profesionalismo pudo ver el lado positivo del asunto y tomarse el poco trabajo que podía hacer como una fuente de entretenimiento al tener que guardar reposo por tantos días. Tal era su actitud que en muchas ocasiones ni los clientes ni sus empleados llegaron a darse cuenta de lo que ella realmente atravesaba. Ella superó su situación y gracias a eso volvió a trabajar con la mentalidad de que sin salud no somos nada.

Catherine descubrió lo frágiles que somos y en su tiempo de reposo tuvo tiempo de analizar por qué y para qué vivir. Ya no era el dinero lo que la motivaba, pues ya había conseguido con qué vivir toda una vida, era su propósito, ese motivo que la ayudaba a animarse en los momentos en los que su salud no le permitía estar bien. Aprendió a ver la vida con más humildad, prestando más atención a lo realmente importante, que no era el dinero, sino cómo lo utilizaba, empleando su máximo potencial.

Estando en una cama, Catherine revivió sus sueños y empezó a pensar cómo y dónde quería vivir a partir de ese momento, cómo quería manejar sus horarios para no tener tanto estrés y mantener un balance, ya que trabajaba demasiado. Verse en ese estado, le mostró claramente que por más que tuviera ayuda, nadie en una cama iba a sentir lo que ella sentía: la soledad, el abandono, la frustración, la preocupación por estar enferma. Llegó incluso a sentir que ni siquiera era justo que alguien se quedara allí con ella.

Después de esa situación vio la vida de una forma totalmente diferente. Ya quería estar bien y hacer todo lo que dejó de hacer, quería perseguir sus sueños, incluso empezó a imaginarse su vida ideal, y se dio cuenta de que tenía una hermosa vida real que quería disfrutar. Se dispuso a mantener bonito lo que tenía y a apreciar su presente, viendo en él todo el potencial que tenía para «sus ideas locas» y recibiendo todo lo que tenía como una bendición y un regalo con propósito de parte de Dios. Durante su enfermedad no dejó caer lo que tenía, porque la forma eficiente en que había preparado su negocio, le permitía sostenerlo cómodamente, y sus miedos por no tener salud momentánea no le impidieron a ella poderse motivar de nuevo para no perder lo logrado.

En su convalecencia, Catherine decidió darle un giro a su ritmo de vida y pensó con qué personas quería tener más tiempo. Decidió trabajar en los pequeños detalles que le ayudan en su bienestar y su salud.

Su primera acción fue analizar su rutina diaria, lo que le permitió ver lo positivo de levantarse temprano y de tener un negocio que no limitaría su rol de mamá. Madrugar le permitiría que su hijo pudiera llegar temprano a su escuela y que ella pudiera estar más temprano para los empleados. Además, estableció una hora ideal para tomar el desayuno y poder comer algo antes de empezar el día, cosa que antes no hacía por tanto trabajo.

Catherine también reconoció que una de sus debilidades más grandes eran sus hábitos de alimentación y ejercicio. Al ser joven y tener una constitución delgada, no se había preocupado mucho por comer bien y saludable, ni por incluir el deporte en su día a día; como consecuencia, su salud estaba deteriorada no solo por el accidente, sino porque sus músculos estaban débiles y sin energía. Reconoció que siempre se quejaba por estar muy cansada al final del día, que a veces comía algo rápido o no comía, y que la gente alrededor notaba con facilidad cómo su negocio crecía, pero su salud iba desvaneciendo por no tener claras las prioridades. Entonces admitió que debía trabajar en esta área, aunque le aburriera ir al gimnasio y que debía organizarse para comer mejor. Decidió disciplinarse y buscar una actividad física que le gustara y que esta le pudiera ayudar a mantener el colesterol y triglicéridos en los niveles correctos, ya que era consciente de que esto le estaba afectando su salud y que no hacía mucho para solucionarlo.

Valorando su salud, recuperó las visitas regulares a los profesionales que le ayudaban a mejorar su estado físico, mental y espiritual, pues la salud ya no era un pasatiempo, sino su prioridad. Gracias a su personalidad motivadora con ella misma, decidió buscar más calidad de vida, quería pararse de la cama con energía, quería verse más joven y sentirse más llena de vida, y empezó con pasos pequeños hasta lograr un hábito que disfrutara. Ella tenía claro que si su salud no estaba bien, su rendimiento en el negocio estaría afectando su producción.

Esa conversación consigo misma le reveló que si ella está sana, motivada y enérgica, su negocio también estará saludable. Catherine se activó y lo logró, ¿y tú?, ¿qué piensas hacer?

Tu vida está constituida por muchas áreas —salud, finanzas, trabajo, relaciones, espiritualidad—, pero forman parte de un todo que eres tú. Por lo tanto, hay que fortalecerlas todas porque de esa forma, si un área se debilita, otra puede sustentar esos vacíos. En el mundo de los negocios exitosos el tiempo se va rápido y los días volando, pero ¿para qué tener dinero si las otras áreas no se disfrutan?

Tener un balance sí es posible. Puedes tener y disfrutarlo todo, pero requiere de esfuerzo, de querer, de que te motives a actuar, de que diseñes un plan efectivo para tu salud y que luches por él. Sé que es difícil sacar el tiempo porque la mitad del día se va en llevar a los hijos a la escuela, llegar a estar al frente del negocio, devolver llamadas perdidas, organizar una lista de actividades, asignar responsabilidades, dar entrenamientos y lograr los objetivos. Por eso, a menos que intencionalmente saques un tiempo para tu salud como si fuera parte de tu negocio y de tu vida, no lo vas a conseguir.

Sé que va a tomar tiempo empezar y acostumbrarte a hacerlo, pero nunca es tarde, porque aunque con el pasado no podemos hacer nada, con el presente y el futuro, sí.

Autocontrol, descanso y aprender a delegar

¿Recuerdas a Trinidad? Leíste su historia en el capítulo 6, en donde te conté cómo superó los obstáculos con agradecimiento, en medio de un viaje que tuvo que hacer para replantear su negocio. Te voy a contar ahora algo más que ella pudo reflexionar en ese tiempo, relacionado con su salud.

Trinidad, con su objetivo de ser feliz y superar los obstáculos para conseguirlo, sentada en sus vacaciones, tomando un café y viendo el panorama, analizó lo importante que es la salud física, y cómo, por trabajar demasiado, no comer bien y no preocuparse por ella, se estaba deteriorando. Al parar, respirar y tomarse el tiempo de analizar todo lo que se movía a su alrededor, también vio personas mayores corriendo que se veían con buena salud, cosa que llamó su atención. Admiraba y se sentía emocional de ver cómo la gente se cuidaba y ella no. Esas personas que estaban caminando durante lo que eran horas de oficina para otros, tenían algo que ella deseaba: libertad. Libertad de moverse, libertad de correr, libertad de apartar tiempos para sus propios hobbies en un ambiente donde la gente se veía cómoda y feliz. Realmente veía cómo, cuando falta la salud, esto también afecta un negocio.

Si eres de las personas que creen que esto no tiene que ver con tu productividad, mira cómo se comportan las personas que abusan del alcohol o cualquier otra substancia. ¿Crees que están en su mejor condición, concentración, ánimo o cordura para manejar tu negocio? ¿Piensas que sus clientes se darían cuenta?, y esto sin hablar de que no falta el que no tuvo tiempo de ir a su casa a cambiarse, y tomó la decisión de llegar con su olor a alcohol, o de otras substancias. Digo esto solo para poner un ejemplo, pero cualquier tipo de abuso del dueño o de sus empleados afecta la función. Recuerda siempre que los vicios y las adicciones consumen dinero y tiempo, y arruinan hogares, porque cuando hay una adicción significa que la persona no puede parar, que no tiene control.

¿Y esto cómo afecta tu negocio? Afecta mucho, porque tú necesitas tener esa personalidad de control, de decisión, de sanidad y de motivación; de limpieza en tu ser, de sanar lo que haya que sanar para tu propio bienestar. Tu responsabilidad es ser feliz, buscar lo que es bueno para ti y lo que es bueno para tu familia, para que tú puedas disfrutar todos los frutos de tu negocio.

Analiza: ¿Tienes cualquier tipo de adicción? ¿Hay algo que te desvía de lo que te hace prosperar? ¿Qué es lo que hace que tú llegues a tu máximo potencial, o realmente hay algo que te está parando y está afectando tu vida?

Es bien importante que encuentres la respuesta y busques soluciones inmediatas porque es una clave gigante para lograr que saques tu negocio adelante. Si tuvieras algún tipo de adicción, cambia. Todos los excesos incontrolables son adicciones, y esto incluye la adicción al trabajo de una forma desmedida y constante, al punto de no permitirte tener balance y disfrutar otras áreas que mereces disfrutar.

Busca ayuda profesional, si este es tu caso, trata de enfocarte en cómo disfrutar los beneficios que te da tu negocio. Es tiempo de trabajar en tu pasión, es tiempo de sentirte motivado, es tiempo de trabajo y no debe ser afectado por nada exterior o por tu salud.

Una de mis mejores recomendaciones para ti es que utilices las ventajas de tener tu propio negocio para regalarte a ti mismo un tiempo de vacaciones. Descansa de tu vida rutinaria, respira como respiró Trinidad, siéntate con tu familia, tus amigos o solo, con el propósito de disfrutar tu descanso. Agradece todo lo que tienes diariamente. Recuerda que la vida necesita un balance, en el que no nos excedamos para ningún lado, ni siquiera para trabajar de una forma que destruya la salud, la familia, y el cuerpo. El cuerpo necesita el descanso para enfocarse de nuevo y recargar baterías para seguir luchando con decisión. Meditar, reflexionar y planear son decisiones esenciales para dar tu máximo potencial.

Cuando estoy trabajando en ayudar a emprendedores y empresarios, suelo hacer esta pregunta: «¿Por qué trabajas independiente?», y un 80 % suele responder cosas como: «porque quiero retirarme temprano», «porque quiero tener tiempo de calidad con mi familia», o «porque quiero estar libre económicamente». ¿Y qué pasa si no nos forzamos a hacerlo? Pues que nos absorberá el trabajo, nos volveremos trabajadores adictos, el estrés nos consumirá, nuestra tolerancia bajará por estar exhaustos, y en cualquier momento, nuestra familia se quejará porque sentirá que preferimos el trabajo que a ellos. Lo peor es que no nos daremos cuenta, porque trabajamos tanto y aprendemos nuestro oficio a la perfección, que nos fascina hacerlo, una y otra vez sin descanso alguno. Entonces la rutina nos absorbe y el resultado es que envejecemos en el trabajo, nuestras facciones cambian, y se convierte en un vicio y una obsesión.

Agradece que lograste tener un trabajo creado por ti mismo, pero cuando sea el momento, aprende a delegar, a tener un negocio que se mueva por sí solo, para que puedas vivir y disfrutar, y así puedas hacer a tus seres queridos más felices. Recuerda que ellos son un regalo que Dios te dio. Disfruta a tu gente.

Haz este paso de una forma inteligente, el delegar no se hace de la noche a la mañana. Esto requiere preparación de tu nuevo *manager*, de tu equipo de trabajo, requiere duplicar lo que haces en ellos y requiere encontrar a la persona apropiada que supervise a tus empleados para que tú tengas paz, y puedas multiplicar las ganancias de tu compañía, una y otra vez.

Recuerda que el objetivo de tener tu negocio independiente es tener libertad para poder balancear tu vida, para poder disfrutar sus ventajas. Debes aprender a delegar, encontrando un gerente, no para que cuando mueras otro lo maneje, sino para poder vivir tu vida ahora. Disfrutar de aquello que para ti es importante, porque quieres, no porque tienes. Lleva tu negocio a poder moverse solo, aunque quieras estar ahí. Él será el vehículo por el cual tú crecerás y darás tu máximo potencial de expansión.

Te animo a crecer como persona de negocios, como persona de familia, como ejemplo para tus amigos. Genera empleos para otros, mejores ingresos para tus empleados y recuerda que tu negocio tiene un propósito gigante de prosperidad no solo para ti, sino también para las personas que están a tu alrededor.

> **Proverbios 20:21**
>
> *«Lo que al principio se gana fácilmente, al final no trae ninguna alegría».*

Reflexiona:

* ¿Qué áreas de tu salud necesitas trabajar?

* ¿Estás teniendo tiempo para tu salud? ¿Haces ejercicio?

* ¿Estás visitando profesionales que te ayuden a mantener tu salud física, mental y espiritual y estás siguiendo sus consejos?

* ¿Tienes hábitos alimenticios saludables?

- ¿Estás delegando para poder dedicar tiempo para ti?

_____

_____

Te animo a que diseñes un plan para tu salud y bienestar, escribiendo los cambios que vas a implementar. Por ejemplo: escribe la hora a la que harás ejercicio, qué plan alimenticio seguirás, a qué profesionales consultarás y las visitas regulares que puedes agendar para controlar tus avances. También establece tiempos prudentes de entretenimiento y descanso para recuperar fuerzas y empezar de nuevo. Recuerda que tu salud es tu mejor socio.

Utiliza tus llaves

Nuestras decisiones edifican o destruyen. Cuidar nuestro corazón, espíritu, alma y salud, con acción, combatiendo la pereza, sin que el desánimo nos consuma, son las llaves que abren y cierran puertas y nos permiten amarnos y administrar lo que es vital para emprender con calidad de vida. No somos máquinas, por tanto, debemos cuidar el templo que dirige ese negocio que tanto queremos que sea próspero, y en los momentos difíciles debemos tener paciencia y buscar soluciones, para que nuestros negocios no se caigan. Si perseveramos en lo más difícil, los buenos tiempos serán como una aventura fantástica en la que recogeremos todos los beneficios por los que tanto hemos luchado.

Es muy importante mantenernos firmes en la fe, guardando nuestro corazón, incluso de nuestros mismos pensamientos, animándonos a nosotros mismos y desviando la negatividad que puede llegar en algún momento.

Nuestros pensamientos tienen mucha relación con nuestro éxito o fracaso. La mentalidad vencedora sumada a la fe se convertirá en una herramienta de confianza para ser exitosos y una gran ventaja para emprender. Emplear nuestra fe para tener la mentalidad correcta derrotará todos nuestros miedos.

Génesis 1:28, KJV, nos dice:

«Y Dios los bendijo, y les dijo Dios: Fructificad y multiplicaos, y henchid la tierra, y sojuzgadla; y señoread en los peces del mar, en las aves de los cielos, y en todo ser viviente que se mueve sobre la tierra».

El Señor específicamente nos mandó a ser fructíferos y a multiplicarnos. Entonces el significado es claro: Dios quiere que las familias crezcan y que más personas compartan sus bendiciones y los dones que nos dio. Él desea que usemos nuestros talentos y que prosperemos financiera y espiritualmente. Así que si esa es nuestra mentalidad vencedora, viviremos con un propósito que nos dará razones para luchar día a día.

No sintamos miedo. Está bien ser financieramente estables, tener todo pagado, no tener ninguna deuda, crecer tanto como podamos, y brindar y educar a nuestras familias lo mejor que sepamos hacer, con mentalidad próspera. Cortemos las cadenas que nos quitan tantas bendiciones, vivamos las aventuras que queremos que nos llenen el alma. Sea cual sea la edad, cada minuto de nuestra vida cuenta para lograr encender esa luz en nuestro espíritu. Todos estos esfuerzos no son solo para nosotros, sino también para un mejor futuro para todos los que se cruzan en nuestro camino.

La mayoría de las personas exitosas que creen en Dios, saben que Él quiere lo mejor para ellos y que siempre estará ahí para protegerlos. El secreto es el estado mental de quien sabe que todo estará bien.

Cuarta parte:

Una puerta hacia el futuro

Capítulo
DOCE
CRECIMIENTO INTERIOR = CRECIMIENTO FINANCIERO

Cuando fortalecemos el espíritu, el alma, y la salud, hacemos más fuertes las bases para lograr el éxito en nuestros propósitos. Si tenemos la capacidad de combinar poco a poco cada una de estas áreas y de entender que todo es un conjunto de fortalezas para nosotros mismos, estar bien, seguir consejos, y aprender por las experiencias de otras personas, será más fácil.

Conozcamos otra historia de poder:

Melissa estaba experimentando un hermoso crecimiento espiritual y su propósito en la vida era firme: quería ayudar a todo el mundo, a su familia, a sus amigos y hasta a los desconocidos. Era un propósito muy noble, pero no se estaba dando cuenta de que la mayoría del tiempo ponía a todos primero que a ella misma; se esmeraba por cubrir las necesidades de otros, dejando las suyas en un lugar secundario.

Ella trabajaba en una oficina entrenando y cubriendo lo que el personal no podía cubrir. Su relación con los clientes era excelente y siempre les hacía sentir que su compañía estaba dispuesta a ayudar. Le gustaba tanto su trabajo, que en muchas ocasiones prefería hacer las cosas ella misma antes que delegar.

Melissa nunca se preocupó por analizar el tipo de amistades que tenía, porque sentía que era lo suficientemente fuerte para no dejarse influenciar por otros. Sin embargo, llegó un momento en su vida en el que se dio cuenta de todo lo que le estaba suponiendo no escoger bien a las personas que estaban a su alrededor: recibió desplantes, tenía «amistades» que solo estaban en las buenas, no contaba con nadie si estaba enferma, vivió dramas ajenos, y estuvo envuelta en malos entendidos con personas injustas, envidiosas y con malas intenciones. Entonces entendió que relacionarse con personas de buen espíritu es importante, y decidió, después de muchas desilusiones, cambiar su forma de seleccionar las personas a su alrededor. Desde entonces, su salud y su espíritu empezaron a mejorar, sus sueños revivieron, y descubrió que con ayuda de las personas correctas, podría progresar más y llevar la compañía a otro nivel.

Melissa entendió que su tiempo era valioso. Ella tenía una rutina de familia, casa, trabajo y sacaba tiempo para sus responsabilidades y sueños, pero no se preocupaba mucho en descansar ni en enfocarse en su crecimiento interior. Pero se dispuso a hacer cambios y su vida empezó a ser más productiva y más feliz. No fue fácil porque su personalidad siempre buscaba el bienestar del otro, lo cual no es malo, pero aprendió a identificar lo que alteraba su paz interior y cuándo era momento de alejarse para conseguir armonía y evitar el desgaste emocional. Ella sabía que crecer de forma integral podía repercutir directamente en su crecimiento financiero.

Escoger a dónde se enfoca la mente y el tiempo es esencial para tener tranquilidad y centrarse en lo que realmente hace bien.

Proverbios 4:23, RVR1960
«Sobre toda cosa guardada, guarda tu corazón;
porque de él mana la vida».

Melissa sabía que los pensamientos antes de irse a acostar eran muy importantes para guardar el corazón, y poder estar positiva. Para ella orar era fundamental, sin embargo, no lo hacía todos los días, así que cuando lo empezó a hacer constantemente, pudo descansar mejor, pues sentía protección, se sentía más segura.

Mucho más adelante, pudo tener su familia en una etapa diferente, con un mejor enfoque espiritual y mejores relaciones, siguiendo pasos de positivismo y de mente sana. Su principal objetivo ahora era su salud mental y proteger su corazón. Con el paso del tiempo y el cambio de compañías a su alrededor, su vida mejoró espiritualmente y los sentimientos de paz eran diferentes. Para tener buenas finanzas y prosperidad real, necesitas buscar la paz espiritual. Mira dónde pones tus pensamientos y en quién inviertes tu energía.

No dejes que el pasado dañe la cosecha del presente

Sandra era una niña divertida y entusiasta. Le encantaba jugar a que podía volar, y con sus hermanas soñaba qué serían cuando crecieran. Sin embargo, no se sentía amada, vivía en su pequeño mundo mirando cómo los niños hacían cosas diferentes, mientras que ella permanecía en su casa con una madre que lloraba frecuentemente, una mujer sin muchos propósitos, más allá de criar a sus hijas.

El papá de Sandra era un líder político a cargo de muchos empleados, admirado y elogiado por todos los que estaban a su alrededor. Siempre iba bien alimentado, vestido y perfumado de la cabeza a los pies, pues su esposa se encargaba de ello. Esa mujer daba la vida por él, mientras que él ponía a vecinos, familiares y amigos primero que a ella. Incluso en algunas ocasiones llegó a poner como prioridad a su coqueta y elegante secretaria, con quien mantuvo una relación en secreto durante muchos años.

Ese era el ambiente en el que creció Sandra: sobreprotegida en algunas ocasiones e ignorada en muchas otras, en una familia disfuncional que peleaba en silencio, sin palabras, en soledad, en desprecio y desplantes, en miradas sin amor, con los vacíos de un padre que no llegaba a casa y una madre muriendo en vida, a la que poco se le veía sonreír. Sandra, contrario a sus hermanas, sí creía la tristeza real de su madre, no veía sus actitudes como manipulación ni rebeldía, pues cuando nadie la veía, casi arrodillada en la entrada del cuarto de su madre, Sandra la observaba llorar mientras sus hermanas dormían. Veía cómo ella esperaba a un esposo que no volvía a casa porque estaba bebiendo con amigos.

Sandra se sentía como un pájaro asustado, sola, incomprendida por el mundo y vista ante sus conocidos como una persona débil, extremadamente sensible y ridícula. Ella tenía miedo todo el tiempo, como un pajarito en una jaula en medio de una jungla con mucha oscuridad y vacíos.

Pero decidió salir de esa jaula y creció con la mentalidad de que no quería esa vida para ella y utilizó todas esas razones para salir adelante, para no depender de nadie, para no tener que pedir dinero prestado y que nunca le pudieran cobrar como le cobraban a su madre. Sandra luchó por trabajar duro y de forma incansable, para que ningún hombre ni ninguna persona la tratara así. A pesar de que la gente veía a Sandra como si ella trabajara porque le gustaba el dinero, pocos entendían que lo que la motivaba era la fuerza espiritual para no dejarse caer, para no verse en depresión como su madre, para no verse encerrada y humillada por necesidad. Sandra trabajaba para entretener su mente de las preocupaciones, para sentirse útil y feliz; trabajaba porque amaba lo que hacía, ya que quería libertad financiera.

Lo que empezó como una forma de crecimiento personal, se volvió la distracción para evadir el sufrimiento por la pérdida de sus padres, el divorcio de su esposo, y las traiciones de amistades y seres amados.

Sandra sabía que debía ocupar su mente en algo con propósito, y comenzó a crecer con negocios exitosos, generando trabajos, ayudando a otros a levantar los suyos. Ella buscó la forma de tener un propósito en la vida, de ser feliz haciendo lo que le gusta, aprendió a delegar y eso le dio más libertad para ayudar a otros. Los que malinterpretaron que era por dinero, entendieron luego que ella trabajaba por otras razones, pero que el dinero llegó en abundancia porque su propósito de hacer lo correcto era más fuerte.

Cuando Sandra salió de su jaula, quería volar, cumplir sus sueños, no ser más controlada, humillada y no entendida, tenía miedo de caer en la vida de su madre, a la cual por más de que trató, luchó e insistió, nunca pudo ayudar hasta su muerte, porque ella había tomado la decisión de quedarse en su propia jaula emocional. Después de ir a varios psicólogos, entendió que cada persona, incluyendo a su madre, tiene la libertad de hacer con su vida lo que quiere, y que tenemos que respetar esa decisión, sea para bien o para mal. Entonces pudo descansar y dejó ir su dolor después de mucho tiempo.

A pesar de sus batallas, Sandra utilizó toda esa frustración para ayudar a personas que sí querían salir adelante y no se dejó caer en depresión, aunque en muchas ocasiones sintió estar al borde de una. Ella tenía buenas amistades y muchísimo éxito en el trabajo, pero después de tantas pérdidas de familiares, personas significativas, amigos y ausencia familiar, estuvo al borde muchas veces de dejar caer su vida. Pero se aferró al propósito, se aferró a la verdad de que aunque el mundo le pudiera fallar, si tenía a Dios lo tenía todo.

En ese momento toda su vida cambió. Empezó a darle más importancia a las relaciones sanas, conoció a un ser maravilloso que la acompaña, la apoya, la ama, y tienen un hermoso hijo, el cual la llena de mucha vida y propósito. Hoy se siente orgullosa de haber podido seguir adelante con su negocio y su vida en los momentos de tribulación. La vida le ha dado un giro total y a pesar de todos sus frutos laborales, estabilidad económica y de no tener la necesidad de trabajar, porque con lo que ha conseguido puede vivir toda su vida, ella sabe que tiene el compromiso de compartir lo que sabe, lo que ha aprendido. Quiere ayudar a otros y su espíritu se siente agradecido, afortunado y motivado a vivir feliz en medio de las tribulaciones. Ella entiende que la vida no es perfecta, pero sí que toda situación tiene un lado positivo que ella siempre prefiere escoger, porque es la única responsable de su felicidad.

Ahora, en vez de sentirse un pájaro encerrado, se siente como una mariposa, cambiando para mejorar todo el tiempo.

Sabe que no es perfecta, pero trabaja en su ser para convertirlo en vez de una selva, en un bosque hermoso lleno de flores y espacios para conocer, explorar y disfrutar. Ahora ama crear negocios con otros, motivar y ver que otros progresan, que disfrutan con sus familias lo que han creado, encuentra felicidad en ver felices a otros y ver cómo organizan sus finanzas y cómo cambian sus vidas. Sandra no solo se superó, sino que lo pudo hacer al no dejar que su pasado le afectara su futuro.

Como vemos, la vida no es fácil, tiene muchas piedras en el camino, pero precisamente el éxito reside en cómo se manejan esos problemas, cambiando el punto de vista a uno que nos beneficie mental, espiritual y físicamente.

Cada cual vive su vida como la quiera vivir y eso hay que respetarlo, no nos podemos llevar cargas emocionales por cómo viven las personas que queremos, así sean nuestros familiares. Definitivamente es una guerra espiritual difícil de batallar, pero no imposible de ganar.

¡No te dejes caer! Busca la forma de entretener tu mente con algo positivo. No es fácil, pero es posible. Si lo necesitas, busca ayuda, no luches solo. Utiliza tu pasado como una plataforma que te impulse a alcanzar tus metas y sueños, y sobre todo, no dejes que la semilla del pasado dañe la cosecha del presente.

Proverbios 12:11-24, DHH

«El que labra su tierra se saciará de pan, pero el que persigue lo vano carece de entendimiento».

Reflexiona:

• En lo espiritual, ¿estás creciendo cada día?

_____

_____

• ¿Estás superando tus debilidades, frustraciones y cuestiones de tu personalidad que afectan cómo te sientes?

_____

_____

• ¿Qué nuevas acciones debes tomar para cuidar tu corazón?

_____

_____

• ¿Crees que tener buen espíritu y un alma sana te puede ayudar a llevar más rápido tu negocio adelante?

_____

_____

- ¿Estás encontrando el balance que querías tener cuando empezaste tu compañía? ¿Tus «porqués» te están motivando a seguir?

- ¿Estás destinando tiempo para disfrutar de lo que te hace feliz aparte del trabajo, familia y responsabilidades?

Capítulo
TRECE
EL PODER DE LAS
RELACIONES SALUDABLES

C omo hemos visto a lo largo de este libro y reafirmamos en el capítulo anterior con la historia de Melissa, las personas con las que nos relacionamos constituyen en gran parte lo que somos, y, por tanto, tienen un grandísimo poder de influencia en el éxito de nuestros negocios y proyectos. Y al hablar de relaciones no me refiero solo aquellas de tipo personal, sino también todas las que conforman el círculo relacional de nuestro negocio, es decir, empleados, clientes y proveedores, entre otros, con quienes es necesario tener relaciones saludables que estimulen nuestro crecimiento empresarial.

Tu negocio es un regalo de Dios, pero si Dios te da algo y no lo trabajas ni lo valoras, lo más probable es que lo pierdas. Eso mismo pasa con las relaciones, si no trabajas en ellas, las puedes perder.

Te planteo varios ejemplos de pensamientos comunes que hacen fracasar relaciones:

- «Trataré de cualquier forma a mi cónyuge y me relajaré, porque al final lo que tenga que pasar, pasará»

- «Dios tiene el control de mi negocio y va a prosperar sin importar cómo trate a mis empleados».

- «Lo que es de uno, nadie se lo quita, no tengo por qué esforzarme más» (y si con esa excusa, no eres responsable con lo prometido a los clientes, con esta mentalidad se pueden perder negocios y sus referidos).

Necesitamos aprender a respetar a todos, porque si no lo hacemos, podemos atender a un cliente de una forma inadecuada e incluso afectar una venta, porque no pudimos ponernos en sus zapatos y no pudimos entender sus necesidades. Tenemos libre albedrío y hay frutos o consecuencias de nuestros hechos en nuestras relaciones. Si un cliente no se aprecia y no es tratado con respeto a sus necesidades, se puede ir a otro lugar donde sí lo escuchen.

En muchas ocasiones la mente nos lleva a tratar a alguien que nos recuerda a otra persona que en el pasado nos causó daño, y actuamos de forma injusta para esa persona, para nuestro negocio, y para nosotros, quienes además de pasar por esas situaciones que nos afectaron en el pasado, ahora tengamos que pagar un precio tan alto.

También es importante saber que cuando depositamos sabiduría, ayuda, entrega y servicio, y la vasija no es buena, los frutos no serán para buena obra.

Los negocios son un arte con los que tú ayudas con tus productos a otros, pero hay que escuchar atentamente a las necesidades del consumidor. No todo es para todo el mundo y si alguien no quiere, no aprecia o no valora lo que estás dando, ganarás más si puedes dejarlo ir en paz, ya que siempre hay clientes o futuros clientes que valorarán con felicidad y agradecimiento lo que proveas. No todo el mundo va a ver tu negocio de la misma forma y está bien, entonces que venga el próximo con paz y que el anterior se vaya con armonía. Lo importante es tener la conciencia de que trataste de dar un excelente servicio, porque si no lo hiciste y aparte de eso te enojas porque el cliente no quiere trabajar contigo, entonces no crecerás y al contrario te llenarás de frustración al no entender por qué la gente no quiere trabajar contigo.

Tratar de ver los problemas y el punto del otro desde una perspectiva diferente, también te hará sentir bien, sabiendo que has hecho lo mejor que puedes hacer. Esto te ayudará a no tener remordimientos y a dormir con paz cada vez que termine tu día.

Ante los conflictos lo mejor que se puede hacer es dar soluciones, aportar ideas de cómo se pueden hacer las cosas. Si una crítica es constructiva, se agradece y se analiza si realmente encaja con tus ideales antes de tomar medidas, hablar con soluciones motiva a tener buenas relaciones con tus clientes o críticos, y esta actitud de paz te mejora. Haya culpabilidad o no, la clave está en cómo solucionar rápidamente cualquier situación.

Esto es un tema muy importante porque si como empresario no construyes la habilidad de solucionar, la dinámica del progreso se retrasa y esos obstáculos de pequeños pueden pasar a grandes solo por no haber dado un paso de acción efectiva desde el comienzo. Las personas más efectivas tienen como habilidad traer soluciones con rapidez, si no lo haces, la misión se desvanece, la calidad desmejora, y puedes dejar hilos sueltos que pueden afectar tu negocio. Es importante siempre tener la acción inmediata para no dejar avanzar ningún problema más allá de lo necesario.

Cada experiencia nos hace mejores. Ayudar a tus clientes, pero también apoyar a tu equipo, es necesario para empezar a tener calidad. Enseñar a tus colaboradores a que hagan las cosas de una mejor manera, a superar los errores y explicarles las consecuencias de sus acciones, es entrenar a tu equipo de trabajo con la misma misión y ética que tú tienes. Estas son acciones que protegen a la compañía y al cliente, al mismo tiempo.

Para que un conflicto no se repita hay que buscar cuánta solución sea posible. Para muchos es frustrante trabajar con personas que no quieren ayudar o que son incompetentes en su trabajo, porque es como una pared dura que no puedes atravesar. No somos perfectos, pero el deseo de ayudar a solucionar es una ventaja gigante para el progreso de un negocio. En ese caso es mejor encontrar a alguien que te quiera ayudar tanto como trabajador o cuando eres cliente para no sufrir la pérdida de tiempo y estrés que detiene tu negocio. Empieza a trabajar en tu equipo.

Depende del tipo de compañía que tengas, puedes requerir personal o no, y en ambos casos hay ventajas y desventajas. Ser el único dueño de una compañía tiene como ventajas el no depender de las decisiones de otros y no necesitar tanto capital para salarios al empezar. Te aconsejo que si puedes ser el único dueño de tu empresa, sea grande o pequeña, lo hagas sin socios, para que te evites muchos dolores de cabeza, ya que todos somos totalmente diferentes. De esta forma evitas tener que consultar las decisiones, lo que te da paz y tranquilidad.

Con esto no estoy diciendo que esté mal tener un socio si sientes que no puedes solo, porque tener alguien a tu lado que cumpla con la ética de la compañía, puede volverse maravilloso para emprender. Lo que realmente quiero decirte es que tengas cuidado y escojas muy bien a tu compañero de emprendimiento, porque una sociedad es como un matrimonio con hijos, donde el bebé es el negocio. Por tanto, la decisión sobre con quién te asocias es vital, pues es mucho el tiempo que se dedica para sacarlo adelante, y tú no quieres terminar frustrado por una mala decisión dándote cuenta, años después, de que perdiste todo ese tiempo.

Te recomiendo que, si decides tomar un socio, aunque sea un familiar o un amigo, hagas una entrevista profunda y te regales el tiempo de conocerlo en el ámbito de negocios, de ver cómo trabaja, de incluso, pedir referencias y ver cómo es su historial de crédito. Busca una persona responsable, recuerda que tú no le pondrías cualquier padre o madre a tu bebé. Escoger con atención y tomar decisiones con demasiado análisis para evitar un fracaso en el futuro que roben tu paz y la paz no tiene precio.

Por otra parte, debes tener en cuenta que para crecer necesitas delegar. Cuando un negocio empieza a crecer rápidamente, si no buscas ayuda, te estancas y te puedes frustrar por no poder estar solo. A muchos emprendedores les ha pasado que han terminado deseando cerrar solo por no tener suficiente personal.

Esta decisión también depende de tus metas y del porqué tienes tu negocio, pues si tu propósito, por ejemplo, es tener más tiempo para tu familia y viajar, lo más probable es que tengas que delegar. También es importante un equipo si quieres lograr que tus negocios se puedan manejar solos y puedas tener cadenas empresariales. Definitivamente, para crecer, buscar apoyo, es esencial.

Claridad en las relaciones

La clave para sentirse orgulloso por un buen servicio es la claridad con tu cliente, explicándole con detalle cómo se maneja tu producto, si es posible, por escrito.

Muchos negocios se pierden por falta de claridad y por miedo a que las cosas no se vayan a cumplir como se prometieron. Los negocios de acuerdos mutuos son fundamentales y esto incluye fechas, lugares, y una buena definición de lo que se espera, con soluciones en las mejores y peores situaciones. Porque, sí, los tratos verbales sí se pueden cumplir, y tú confías en tu cliente, pero puedes tener también clientes desconocidos, y si con ellos no tienes credibilidad, una venta es difícil que se dé.

Por favor, lee esto muy bien: muchos problemas legales se inician, y muchas parejas, familias y amistades se pierden, por falta de claridad. Y si esto ocurre con personas amadas y cercanas, ahora imagínate qué pasaría con otro ser que ni conoces.

Lee la historia de Carlos:

Carlos era un gran negociante, muy organizado y honesto, que se entrenaba constantemente y proveía un buen entrenamiento para su equipo, para no cometer equivocaciones. Era bueno en sus finanzas y esto siempre lo mantenía motivado a soñar en grande.

Sin embargo, a pesar de hacer su trabajo de la mejor forma posible, tuvo una situación que ocasionó que un cliente lo quisiera demandar. Carlos estaba muy extrañado porque él sabía que había sido claro con aquel cliente, que se le había explicado todo muchas veces, de forma verbal y escrita, que había muchas notas, muchos emails, tratando de ayudarlo siempre, excediendo el servicio, explicándole pros y contras.

Se enviaron pruebas de todos las comunicaciones que demostraban que todo estaba correcto ante la ley, documentado y bien organizado, y el tribunal desestimó el caso. Aunque al final la historia terminó bien, pues el cliente se disculpó, reconoció el error y desistió de la demanda, fue muy estresante para Carlos sentir la injusticia. Sin embargo, cuando él recordó en esos momentos de angustia y miedo lo que podía pasar, y que Dios peleaba por él como pelea por los suyos, sintió fe. Esto no solo le trajo paz, sino que un milagro provocó un cambio en el corazón de su cliente, que lo llevó a hacer lo correcto y continuar manteniendo una buena relación comercial.

Carlos no solo pudo presentar documentación de que había hecho lo correcto, sino que también pudo ver la bendición de Dios, no solo por el respaldo ante una situación que quería robar su paz, sino también por el hecho de tener un negocio fructífero que le habría permitido pagar a un abogado, si se hubiese necesitado.

Trabajar para uno mismo tiene muchas ventajas, pero hay que ser extremadamente organizado para prevenir malos entendidos y poder tener evidencias legales que todo se hizo de la mejor forma y con buena fe.

No es apropiado que la gente se confunda, pero es algo común. Un cliente realmente puede olvidar lo prometido y esto puede traer frustraciones y problemas para todos, contribuyendo a perder la motivación por exceso de problemas y malentendidos. Mantener todo en orden es la construcción de buenos hábitos que quizás representa un sacrificio de varios días a cambio de paz, armonía y éxito. Sacar el tiempo para clarificar documentos, servicios, ventajas y desventajas, es indispensable.

Las personas necesitan claridad en detalle. Esto aumenta la comunicación y la eficiencia y evita la frustración en cualquiera de las partes

Con relación a los empleados, se necesita claridad en las asignaciones, claridad en cómo se tienen que hacer las cosas, claridad en cuántas horas se debe trabajar, claridad en cuándo y cómo se debe pagar, claridad en cómo funcionan los sistemas y el equipo necesario, y cómo manejarlo para prevenir daños. Si falta esto, se provocará frustración en las personas que te ayudan en tu compañía, afectando al final a toda la línea de negocio.

El agradecimiento y el apoyo hacia tus empleados con una buena actitud, es esencial. Las personas que estén trabajando contigo deben sentir que pueden contar contigo y eso despertará que tú puedas contar con ellos. Los límites y las responsabilidades las pones tú, pero si tú quieres contar con tu equipo, ellos deben entender, sentir y recibir el apoyo de su líder.

Recuerda que no todo el mundo tiene tu mismo punto de vista, ni tiene la misma opinión acerca de cada tema, cada problema o miedo que se presenta. Para cada situación no hay una sola respuesta, usualmente hay muchísimas formas de solucionar algo. Por eso es bueno no asumir y por eso es tan importante el diálogo en los negocios, porque se llega a términos comunes en los contratos, se escuchan opiniones de ambas partes y se llega a un acuerdo en el cual todos están bien. Ten claridad en lo que hagas y podrás seguir tu camino sin miedo.

Conoce ahora la historia de Teresa:

Teresa era dueña de un negocio, pero estaba triste, frustrada y llena de dudas porque en su negocio había una empleada que le causaba ansiedad e inestabilidad. Ella no se sentía tranquila por la acumulación de errores por parte de su empleada y por el descaro y abuso con el que lo afrontaba. El problema es que Teresa no era capaz de dejarla ir, tenía miedo de hacerlo y que, por eso, perdiera más empleados; ella sabía que tenía que tomar una decisión y escoger mejor a las personas en su negocio, ya que a la mayoría, aunque no eran idóneas, las había contratado por miedo a no conseguir empleadas buenas para su negocio.

Se le estaba haciendo extremadamente difícil salir adelante, tenía miedo de crecer para no quedarse sola, se sentía atrapada en su negocio, hacía el trabajo a medias, enfrentaba muchas cancelaciones en sus ventas y descubrió que sus empleadas le decían que hacían el trabajo y no lo hacían. Entonces conoció una compañía de contratación de empleados y ellos encontraron a la persona correcta.

Uno de los errores más grandes de un negocio es perder la claridad y no tener la confianza de, como empleador, decirle a alguien que trabaje de una forma específica en la compañía, expresar lo que hace bien y en qué necesita trabajar. Si no se hace una corrección a tiempo, no se puede pretender que la persona que esté en la compañía, lo haga adecuadamente. Si no lo está haciendo con excelencia y no tiene guía, no sería culpa de ella. Recuerda siempre que los empleados son tu imagen, es como tú te multiplicas, como tú te extiendes por medio de ellos. Por eso es necesario que inviertas bastante tiempo en entrenar y preparar a la gente que esté en tu compañía, porque eso dice mucho de ti. Tener empleados es tener la capacidad de trabajar para ellos. De eso hablaremos más profundamente en el siguiente capítulo.

Si tienes un producto que, cuando lo vendes, cubre tu inversión y todos los gastos y, aun así, te sobra dinero, entonces tienes las ganancias que necesitas para mantenerlo a flote. Sin embargo, el enfoque de tu negocio no debe ser el dinero, sino las personas, ocuparte en cumplir con tus responsabilidades bien, en que una vez establezcas los precios justos para tu negocio y para el cliente, puedas dedicarte a ofrecer aquello que realmente ayuda a la gente.

Los negocios más prósperos son los negocios que solamente requieren servicio, como por ejemplo invertir en bienes raíces, seguros, impuestos, asesoramientos, entre otros, porque la inversión que tú estás poniendo es mínima y depende más de quién eres, de cómo tratas al cliente, de cómo solucionas cuando tienes un problema. El enfoque primordial está en las metas, en quién eres tú y cómo se manejan la compañía y los empleados. Eso demuestra el poder de unas buenas relaciones.

Proverbios 15:17

«Las verduras son mejores que la carne
cuando se comen con amor».

El amor y el progreso financiero

Esta es la historia de Raquel, una mujer emprendedora, justa e inteligente, con grandes ideas en los negocios, llena de vida, y con mucha fe. Ella tenía una buena estabilidad financiera y varios negocios que le permitían trabajar solo si quería, pero tomaba muy malas decisiones en el amor. Era increíble cómo podía ser tan inteligente en algunos aspectos de su vida y en otros, un fracaso total. A pesar de que ser áreas muy distintas, el no tomar buenas decisiones personales, le estaba afectando su estado emocional para progresar en su negocio con paz; sus decisiones estaban haciendo que su espíritu muriera poco a poco.

Un día Raquel conoció a un chico muy amable y amigable, un total caballero. Con tantos vacíos y decepciones que la acompañaban, encontró en él inicialmente una buena amistad y luego el escenario perfecto para construir muchos momentos bonitos y grandes recuerdos de amor. Después de aproximadamente dos años de romance, decidieron vivir juntos, sin ella saber que solo quince días después, su galante y caballeroso enamorado cambiaría totalmente.

Raquel empezó a tener obstáculos en su progreso porque no tomó buenas decisiones al darle la oportunidad a alguien con mal temperamento. Poco a poco las situaciones en su casa fueron escalando, y ella no entendía por qué su ánimo para levantar su negocio desaparecía lentamente, se le hacía difícil ver hasta qué punto puede afectarle a una persona vivir en medio del maltrato.

Ella se sentía triste por las acusaciones falsas e injustas de su pareja, y un día, en un momento de desesperación, sin planearlo ni esperarlo, su pareja se convirtió en alguien que ella ya no reconocía. Cada vez se convertía más en un abusador verbal y físico, al punto de casi matarla. El último día que estuvo con él, un hombre muy fuerte, la experiencia no pudo ser más aterradora: él la tiró por las paredes, le quitó las llaves y la encerró en el cuarto mientras le decía que iba a quemar la casa con ella adentro, que nadie se daría cuenta, que ni su familia ni nadie se preocupaba por ella, que su negocio no valía la pena, y que ella nunca podía lograr sus sueños ridículos.

Raquel, que usualmente era una persona alegre a la que le molestaban las injusticias y las acusaciones falsas, estaba llena de miedo, escuchando palabras denigrantes de parte de aquel hombre, como si vinieran del enemigo para derrotar un propósito gigante y maravilloso que Dios tenía para ella. En medio de todo aquello, solo cerraba sus ojos y se repetía a sí misma: «Eso no es verdad. Es el enemigo que me quiere destruir y no lo va a lograr. Yo sí puedo, yo lo he demostrado». Repetía, una y otra vez: «Eso no es verdad, eso no es verdad».

Aquella pesadilla, como escena de película de terror, no había terminado, porque de repente él, sin piedad alguna, la tiró al suelo y puso las manos en su cuello para ahorcarla. Ella ahí tendida, sin poder respirar, pudo sentir la muerte. Pensaba ese era el último día de su vida, y empezó a rezar el Padre Nuestro dentro de sí, sin poner más resistencia, solo observando los grandes ojos, llenos de maldad profunda, de aquel hombre que ahora era un monstruo, alguien a quien nunca había visto, como si ni siquiera fuera él.

Ella seguía orando y cuando ya se rindió pensando que era el final, él quitó las manos de su cuello, como si algo milagroso lo hubiera detenido, se calmó totalmente, agachó su cabeza como avergonzado y salió del cuarto. Cuando él salió de allí, ella encontró las llaves en el suelo que a él se le habían caído, tomó rápido todo lo que pudo y empezó a bajar por las escaleras, pensando que él ya no estaba. Sin embargo, cuál fue su sorpresa al verlo sentado, como agotado, casi al final de la escalera y con un cuchillo gigante al lado.

Como si de otro milagro se tratase, de un momento a otro y sin saber de dónde provino, llegó un ambiente de aparente calma. Mostrando tranquilidad por fuera, pero temblando de miedo por dentro, con voz suave —e inexplicable en un momento así— Raquel le dijo a su agresor: «Tranquilo. Yo sé que ese no eras tú porque tú no serías capaz de hacer eso. No voy a llamar a la policía, solo tomaré el cuchillo y lo pondré en la cocina, y mañana mejor hablamos». Después tomó el cuchillo lentamente, sin dejar de orar en su cabeza, y se dirigió a la cocina, que estaba cerca de la puerta del garage, lo soltó y sin pensarlo dos veces, salió corriendo para su carro para salvar su vida. Él la estaba bloqueando con su carro atravesado, pero finalmente ella logró retroceder un poco, montarse encima del césped y pudo salir rápido.

En ese momento se destrozó más su espíritu de lucha, no solo por perder a la persona que nunca creyó que podría hacerle eso, sino porque sentía que ya no podía más. Lloró y lloró hasta quedarse sin fuerzas.

Raquel nunca en su vida imaginó que tendría que atravesar ese obstáculo para salir adelante, para tener una familia sana; nunca creyó que pasaría por algo así, pero justo entonces pudo reconocer que no podía sola y que tenía que salir de esa situación, costara lo que costara. Por esa razón perdió días de trabajo mientras se recuperaba, y lo consiguió gracias a que era la dueña y tenía empleados que la cubrían en sus obligaciones. Eso le supuso tener que aumentar horas en la oficina a su empleada, para no perder los clientes y que estuvieran contentos, pero logró que ni el personal de su oficina, ni los clientes se llegaran a dar cuenta por lo que estaba pasando, para proteger su negocio y no mezclar lo personal con lo laboral. Pero el punto principal fue conseguir ayuda inmediatamente, salirse de la situación rápido, aguantar el dolor que tuviera que aguantar, sanar y seguir adelante.

Sin embargo, la lucha interna continuó porque a esa guerrera la tacharon de débil por su amabilidad, confianza y amor por otros. Sin tener energía y con mucho dolor por haber permitido que aquello le pasara, buscó ayuda, fue a grupos de violencia doméstica y conoció a muchísimas mujeres que pasaban, incluso por peores situaciones, por no tomar buenas decisiones en el amor. Muchas que aguantaron terribles escenarios por necesidad financiera, por no tener dinero o trabajo para salir adelante por sí solas, y porque no se prepararon para emergencias como esas. Muchas de ellas tenían años y años sin poder salir de algo tan tóxico y estaban buscando ayuda porque esas situaciones eran obstáculos para salir adelante y progresar con paz y armonía.

Inicialmente, por miedo, Raquel se quedó en casa de algunos familiares, pero luego, gracias a que ya tenía su negocio que casi se sostenía solo, y una manera de tener ingresos constantemente, pudo mudarse y pagar un lugar para poder vivir sola en un ambiente de no violencia.

Realmente ella siempre vio el trabajo como una distracción, ya que hacía lo que amaba y con esas bendiciones financieras de Dios, pudo pagar la terapia y empezar de nuevo desde el principio en un lugar emocionalmente diferente, le tomó muchísimo esfuerzo sanar, pero lo logró, y este obstáculo no paró su progreso.

Ella lo pudo hacer, por eso sé que estar bien financieramente y tener flexibilidad en tu negocio, te permite mantenerlo en progreso a pesar de los problemas. Por eso quiero decirte que es bueno tener estabilidad financiera para no dejar que el enemigo use a una persona para destruirnos, porque no estamos preparados. Ella pensó que Dios la ayudó porque vio todos sus esfuerzos y todo lo que hizo siempre para no dejarse caer, estando agradecida y nunca enojada con Dios por sus momentos de debilidad y problemas, ella sentía la convicción de que su prosperidad financiera también venía de Él para un propósito especial.

Estoy segura de que Dios quiere bendecirte en todos los sentidos y por una razón estás aquí. Raquel ahora se siente orgullosa, a pesar de que en algún momento se sintió avergonzada por vivir así, porque ella soñaba con tener un hogar con armonía. Esta situación estaba causando que ella perdiera poco a poco sentir un propósito en esta vida,

Pero ella no se quedó ahí, se pudo levantar admirablemente, así sintiera mucho dolor emocional al hacerlo, y lo más importante es que buscó ayuda y no está muerta por permitir que esa situación siguiera. Tuvo fe y decisión. Ella trabajó para volver a llenar su espíritu y ahora es una mujer maravillosa que empuja a otros a sacar sus negocios adelante en medio de este tipo de circunstancias.

Te cuento esta historia no para asustarte, sino para ayudarte a ver una realidad por la que muchas personas pasan y no prosperan, y también para ver un ejemplo entre muchos de cómo una mala decisión en el amor y algo tan personal afecta también tu progreso. La historia de Raquel es una historia de las que viven a diario muchas personas que quieren superarse y logran salir adelante en medio de las dificultades.

Raquel seguía positiva, pero el no tomar decisiones sabias en el amor y permitir este suceso le trajo consecuencias a su salud y, por lo tanto, a su negocio. Ella se sentía muy agradecida de vivir, pero esto le causó como resultado tener situaciones físicas después de este terrible suceso. Ella quería esperar a que su cuello le dejara de doler, pero después de esperar muchos años con estas molestias, le tuvieron que hacer dos implantes en las cervicales, y en su cuello se ve todos los días una cicatriz como otra consecuencia. Pero ella se sentía agradecida por tener ese negocio que le brindaba tantas bendiciones, porque una parte de estos procedimientos los pagó el seguro, y la otra parte de los pagos fueron posibles gracias a las ganancias de su negocio. Además, mientras ella no se podía parar de una cama, su negocio seguía corriendo solo; en medio de los obstáculos, la compañía y los empleados seguían bien, y ella seguía recibiendo ingresos mientras se recuperaba.

Te insisto en esta historia para que veas que más allá del dinero, el estar bien financieramente te ayuda a sobrellevar dificultades de las cuales no tienes control. Años después,

Raquel siguió multiplicando sus negocios, con paz y apoyo familiar, tomando mejores decisiones en el amor y su negocio. Hoy puede ver la diferencia al tener como pareja a alguien de paz, y de amor, que no es perfecto, como ella tampoco lo es, pero viven sin violencia de ningún tipo. Ella descubrió que esto no tiene precio y es posible sentir la diferencia de un hogar de paz y armonía. Para ella tener una pareja sana fue un cambio enorme, su progreso fue mayor y más tarde tuvo un hijo hermoso. Ella descubrió que al convivir con una persona con buen temperamento, es más fácil tener motivación, y se disfrutan más los éxitos con alguien que quiera que progreses.

Te digo algo amigo que me lees: Es más fácil sobrellevar un negocio en medio de los problemas, si te rodeas de personas positivas que sepan cómo resolver problemas con calma y efectividad.

En conclusión, para Raquel, tener un negocio en medio de los obstáculos la ayudó a salir adelante sin tener que depender económicamente de alguien, a poder continuar sosteniendo su negocio en medio de los problemas, a solucionar parte de sus gastos de salud, a sostenerse mientras estaba en una cama hasta su recuperación total, e incluso, en lo familiar, a garantizar los estudios de su hijo desde pequeño.

Antes de continuar, quiero hacer un pequeño paréntesis para decirte que si estás en una relación abusiva, necesitas buscar ayuda profesional y salir de allí de inmediato, no tengas miedo, que eso no te paralice, hay grupos de apoyo que te ayudarán a encontrar una salida y un camino hacia una nueva oportunidad. Te mereces más de lo que estás viviendo y no puedes esperar a que sea demasiado tarde.

> **Proverbios 10:22, RVR1960**
>
> *«La bendición de Jehová es la que enriquece, y no añade tristeza con ella».*

Reflexiona:

- ¿Crees que un negocio sin mentalidad de beneficiar al otro podrá multiplicarse?

_____

_____

- ¿Estás haciendo lo mejor posible en tus relaciones? ¿Cómo es tu trato con los demás?

_____

_____

- ¿Has decidido alejarte de personas tóxicas?

_____

_____

- ¿Sientes que estás creciendo como persona?

_____

_____

- ¿Estás cultivando relaciones sanas?

- ¿Tomas buenas decisiones en tu área sentimental?

- ¿Tus relaciones ayudan o perjudican tu negocio?

- ¿En qué áreas necesitas trabajar para tener relaciones más saludables?

- ¿Cómo te perciben tus clientes y tus empleados? ¿Te tienen confianza o miedo?

- ¿Eres claro en todos los aspectos de tu negocio? ¿Estás expresando los puntos cruciales por escrito?

Capítulo
CATORCE
LA CLAVE DE UN BUEN ENTRENAMIENTO

El entrenamiento para tu equipo ¡¡es vital!!

Por más experiencia que alguien tenga, todos somos diferentes, incluyéndote a ti, como dueño de tu compañía. Es imposible que tus trabajadores sean adivinos y que conozcan tus ideas y preferencias, si no se las estás comunicando. Una buena comunicación es esencial si deseas ahorrarte frustraciones: las tuyas y las de tu equipo. Tus empleados no quieren sentirse frustrados y desorientados, pues eso causa inestabilidad e inseguridad. Las personas necesitan sentirse cómodas y seguras en lo que hacen o comenzarán a dudar, y, al final del día, esa duda le hace daño a tu empresa.

Tu equipo debe ser una representación de lo que tú harías, y de lo que ellos harían igual a ti, si tú no estuvieras presente.

Como líderes, debemos asegurarnos de no solo prepararnos a nosotros mismos, potenciando nuestros talentos innatos, sino también de brindar la información correcta al equipo desde el principio. De hecho, antes de empezar un entrenamiento debes tener una reunión para saber si los nuevos trabajadores están de acuerdo con la forma en la que se maneja la compañía y si están dispuestos a ejecutar ese entrenamiento.

Según tu tipo de negocio, debes entrenarlos y sacar licencias apropiadas para su desarrollo y cumplimiento, incluyendo las regulaciones que especifican qué es obligatorio y qué no. Asegúrate de que tus licencias y papeleo se mantengan vigentes durante todo el tiempo que las personas trabajen para tu compañía.

Después de esa capacitación inicial, una vez han empezado a trabajar, es recomendable una segunda capacitación durante los siguientes noventa días. Pasado ese tiempo es recomendable que se brinde una capacitación más, en el lugar de trabajo, todas las semanas. Esta es una recomendación basada en la cantidad de entrenamiento que tu compañía necesite, ya que si este es extendido, tendrás más probabilidad de que hagan mejor su trabajo. Es normal que al principio únicamente retengan un 30 % de lo aprendido y que con los nervios no practiquen correctamente lo enseñado, entonces es importante repasar con ellos frecuentemente en los primeros tres meses. Todo ello sumado a los entrenamientos semanales y las pequeñas reuniones diarias o regulares, que también ayudan a mantener al equipo de trabajo motivado y permite resolver las dudas que tengan pendientes.

Algo que también es crucial durante los entrenamientos, es darles instrucciones acerca de cómo contestar el teléfono. El saludo es fundamental para la imagen de la empresa, por eso es bueno que tu equipo de trabajo memorice palabra por palabra el saludo que quieres que utilicen. Por ejemplo: «Gracias por llamar a (nombre de compañía) es un placer servirle hoy, ¿cómo le puedo ayudar?»

También es necesario enseñar cómo responder si preguntan por alguien que no está, o si la persona por la que se pregunta está ayudando a otro cliente. Es importante crear un sistema en donde siempre haya alguien que pueda ayudar al cliente al momento, pues depender de que únicamente una persona sepa cómo solucionar algo, te pone en una posición de problema si esa persona no puede estar. Por ejemplo: «(Nombre) está ayudando a alguien más/fuera de la oficina, pero estaré encantado de ayudarte».

Para esto hay que tener en cuenta que hay servicios que requieren de una persona exclusiva para beneficio del cliente o para no perjudicar una venta ya hecha, por lo que es bueno buscar un sistema de compensación justo para todo el equipo que motive a que quieran ayudarse entre ellos y ayudar a los clientes.

Además, es recomendable entrenar al personal acerca de cómo se manejan las situaciones cuando hay muchas llamadas telefónicas al mismo tiempo, haciendo énfasis en lo importante de no perder llamadas, independientemente de si son muchas o pocas, pues tu negocio depende de ellas. Algunas compañías utilizan técnicas como estas:

- La primera es con volumen de llamadas ocasionales donde no es necesario muchísimos empleados, ya que hay tiempo suficiente para ayudar a todos los clientes. En este método se trata de que la persona a cargo capture rápidamente todas las llamadas telefónicas y ponga al cliente en espera explicándole que está ayudando a otra persona en la línea, dándole la opción de devolverle la llamada tan pronto como termine la otra llamada, o que espere en línea, si así lo prefiere. Ejemplo: «Estaré encantado de atenderle en cuanto termine de ayudar a este cliente. ¿Está bien con usted? Me aseguraré de ayudarle con todo lo que necesite tan pronto como sea posible».

- En otros casos, por ejemplo, en una presentación de paneles solares, techos o productos donde la familia separó un tiempo específico, se requiere enfoque y responder preguntas extensas. Mi recomendación es que en casos de presentaciones programadas que se sabe de antemano que tomarán tiempo, no reciba otras llamadas, puesto que sus clientes necesitan su atención total. Aquí no estamos hablando de un *call center*, sino de unas personas que destinan un tiempo para ti y si tú no lo tienes, perderás su atención.

- Otra opción por la que otras compañías se inclinan, es que en su mensaje dan un tiempo estimado de cuándo se van a devolver las llamadas. Esto es especialmente utilizado por negocios de consultoría, de la rama de la salud, o similares, donde la persona a la que se llama puede estar por una o dos horas atendiendo a un paciente o cliente, y le es imposible contestar.

En todos los casos, siempre que se atienda a un cliente, la persona debe mantener una buena actitud, motivada, feliz, sonriente —incluso por teléfono— y con muchas ganas de servir. Esto no solo mejorará el día de quien lo practica, sino que además transfiere las ganas de comprar. Por el contrario, una actitud triste y negativa produce que la gente diga que no.

Transfiere felicidad y tus ventas aumentarán.

Sistemas de gestión

La organización es vital en cualquier compañía y para ello es necesario buscar un sistema de gestión según tu tipo de negocio. Es importante que este sea útil para guardar todas las aplicaciones y ventas realizadas, así como los reportes de cualquier documentación que cubra a la compañía y a los clientes.

Como parte del entrenamiento a los empleados, se deben dar instrucciones claras, en detalle y por escrito, de cómo manejar dichos sistemas de gestión. Te recomiendo crear un documento en donde se especifique cómo crear un cliente si aún no está generado, qué datos deben incluirse (nombre, apellido, referencia, información de contacto…), cómo cambiar datos, añadir información, etcétera. Si se trata de un tipo de negocio en donde un cliente tiene más de un producto, genera una carpeta con documentos. Si la información se organiza bien y tus clientes te lo permiten, todo lo que reflejes en el sistema puede servir como base de datos para promocionar otros de tus productos o futuras actividades.

También es muy importante, especialmente en las profesiones que requieren licencias, como las de seguros o bienes raíces, encontrar métodos para que los clientes puedan firmar electrónicamente. Esto es extremadamente beneficioso porque economiza papel, ahorra tiempo, multiplica la efectividad, y aumenta la claridad con el cliente, puesto que le permite tomarse el tiempo que necesite para leer antes de firmar.

Cada paso, por sencillo o básico que sea, debe ser explicado en detalle en dicho documento y debes exigir al equipo implicado que absolutamente toda la información quede reflejada en el sistema. El entrenamiento es esencial para formar un buen equipo, especialmente cuando se trata de tecnología o manejo de información personal y relevante, pues hay personas que por miedo a equivocarse o por temor a la tecnología, deciden escribir en papel para insertarlo luego en el sistema, lo que es un doble trabajo y un gran riesgo de que se pierda la información.

Otra recomendación que te hago es que exijas que toda petición hecha por un cliente sea solicitada por escrito. Con esto evitas que el cliente diga que no lo solicitó, aunque sea por un olvido sin mala intención. Una vez recibida dicha solicitud, tus empleados o tú deben ir a la página web o sistema de gestión de la compañía y en la ficha del cliente reflejar el cambio. Recuerda que en la claridad están las buenas relaciones.

Ten en cuenta que siempre se deben dar opciones y tiempo para hacer cambios y ayudar a las personas. A veces el cliente tiene «remordimiento de comprador», pero si se le cambia algo que pide cambiar, se complacen sus necesidades y se cubren sus miedos, este será un cliente extremadamente contento y dispuesto incluso a referir personas. Entrena a tu equipo para esas situaciones.

Otro aspecto importante dentro de los sistemas de gestión son los recordatorios. Explica a tu equipo cómo guardarlos en el sistema y cuáles son los tiempos para completar las tareas dependiendo del objetivo y requerimientos de tu negocio. Sé realista en esas asignaciones, porque, según la compañía, hay proyectos que duran meses.

Un buen entrenamiento puede parecer tedioso por contener muchos pasos, pero la realidad es que una vez está diseñado, facilita la realización de las tareas que para ti pueden parecer sencillas, pero que para alguien que empieza no lo son. Ten en mente que cuando alguien no sabe ese paso que para ti es básico, puede llenarse de frustración y perder media hora en algo que toma minutos hacer.

Los trabajadores deben tener referencias claras para no tener que depender de otros que los quieran o no ayudar. Por ejemplo:

1. Haga clic en la carpeta de la izquierda.

2. Cree el cliente, vaya al lápiz, seleccione opciones.

3. Coloque la acción con la solución, seleccione la marca de verificación, fecha y guarde.

4. Asegúrese de que las notas estén debajo del cliente correspondiente para que todos los compañeros puedan verlas.

5. Ponga la fecha de hoy para solucionarlo.

6. Guarde.

Normativa en cuanto a los empleados

En tus entrenamientos hay otro tipo de normas que debes especificar para mantener la claridad con tus empleados y evitar circunstancias incómodas. Por ejemplo:

- **Vestuario:** ¿Pueden ir en *jeans* a trabajar? ¿Tendrán uniforme? ¿Pueden usar una vestimenta casual o profesional? ¿Por qué quieres ese tipo de presentación? ¿Es algo con lo que tu equipo se sentiría cómodo? ¿Ayudaría a la producción?

- **Uso de teléfonos personales:** Decide si como parte de tus exigencias laborales permitirás teléfonos personales en la oficina o en el área de trabajo. Muchas compañías no tienen restricciones con los teléfonos personales y está bien que lo utilicen todo el tiempo, y para otras sí es extremadamente importante que no lo hagan. A medida que la tecnología evoluciona, nos volvemos más adictos a ella, hasta el punto de afectar el trabajo. Tener a un integrante del equipo que quiera estar más en su teléfono con sus asuntos personales, que realizando las tareas para las que ha sido contratado, es perjudicial. Si esto no se clarifica, puede haber frustraciones por parte de supervisión y del resto de trabajadores, pues que un compañero no termine sus tareas, a la larga afecta al resto del equipo, ya que se recargan las responsabilidades en los compañeros. Es decir, esto no solo perjudica a la empresa, sino también al ambiente laboral. Por eso es necesario que desde el entrenamiento este punto quede claro. Hay empresas que para ello ponen notas como esta: «No se permiten celulares personales. Mantenga siempre su teléfono apagado, en el bolso o en su auto. No dude en darle el número de la oficina a su familia en caso de una emergencia».

- **Funciones**: En tu entrenamiento debes ser claro con la posición que la persona va a ocupar. Indícale cuál es su trabajo y qué debe hacer en ese puesto; pregúntale si necesitará a alguien más, y también si sería flexible para cubrir otros cargos o tareas si hiciera falta.

Hay personas dispuestas a ayudar en otros departamentos, si hubiera una emergencia, especialmente los supervisores o personas con puestos de mando. Este tipo de empleados nos hacen sentir más seguros, pues saben de todo un poco y pueden llegar incluso a manejar toda la compañía como gerentes. Por otro lado, hay otros que responden con un «para eso no me contrataron», y si eso no se aclaró desde el principio, lamento decirte que aunque no te guste, ellos tienen la razón. Junto con las funciones debes explicar en qué orden se deben realizar las tareas diarias y cuál es la prioridad de ellas. Esto ayudará al manejo del tiempo de una forma eficaz, sin que las decisiones paren el trabajo en equipo.

- **Actitud:** Aclara lo importante del positivismo y de la buena actitud. No hay nada peor que tener a alguien quejándose todo el tiempo. ¿Cuál·es la mejor descripción de quejarse? Hablar de algo sin dar la solución. Los problemas van a existir siempre, pero hablar con personas que dan soluciones, es lo mejor.

Mantener una actitud negativa todo el tiempo es contagioso para el resto del equipo. Esto atrasa y, en muchos casos, quita la concentración de lo que es importante, que es sacar el negocio adelante y disfrutar el proceso. Tener personas así quita la oportunidad a otros de motivarse diariamente, de que trabajen contentos en pos de los objetivos, con ganas de ayudar al otro, de manera que den ganas de llegar a trabajar. Ese es el ambiente que a ti, como dueño de negocio, te conviene tener. Hasta los clientes se dan cuenta cuando hay alegría en el trabajo. Cuestionar sin aportar soluciones es negatividad.

- **Pagos:** Establece claramente cantidades y formas de pago para tu equipo, indicando si tendrán un salario o comisiones y cuáles son las condiciones para obtenerlas.

- **Horarios**: Deja muy claros los horarios de trabajo y de atención. Eso también debe quedar claro para los clientes, pues no hay nada más frustrante para ellos que no saber en qué horarios puede encontrar a las personas que necesitan. Explica si llegar tarde o faltar al trabajo puede afectar el aumento del pago en la revisión o puede hacerlos perder el trabajo, y también cómo se debe avisar si se va con retraso o no puede ir a trabajar. Explica por escrito cuál es el tiempo que tu compañía requiere si alguien falta para que otra persona pueda cubrir, incluyendo emergencias. Hay trabajos que requieren justificantes y otros no; hay que verificar las regulaciones y saber si según el país o convenio empresarial es apropiado pedirlas o no. Usualmente en fábricas donde hay muchos empleados se piden justificantes médicos para reducir las excusas, incluso si se trata de una emergencia debido a problemas médicos.

- **Vacaciones**: Establece el tiempo de antelación con el que las personas pueden pedir vacaciones para que la compañía se pueda preparar. Pide que antes de hacer planes, tengan la autorización. Todas las compañías tienen sus propias necesidades y posibilidades, pero lo importante es aclararlo para prevenir frustración de todas las partes y asegurar que la compañía no se vea afectada por falta de responsabilidad. Hay empresas que no se verían afectadas porque un miembro del equipo falte, o empresas en las que los proyectos van en función de fechas de entrega, por lo que no importa si no están, mientras cumplan con los tiempos. Aclara también si el tipo de trabajo tiene temporadas altas donde no se pueden autorizar vacaciones.

- **Despido o renuncia:** En tu entrenamiento debes aclarar con cuánto tiempo de antelación debe notificar su renuncia un empleado; cuánto tiempo es considerado como tiempo de «puertas abiertas», si decide regresar o para poder entregar buenas referencias en su nuevo empleo, y qué criterios son causa de despido. Esto es muy necesario porque antes de que un cliente se afecte o se pierda información vital para la compañía, a veces es necesario retirar a una persona inmediatamente. Algunas compañías piden que la persona que se va avise dos o tres semanas de antelación para tener tiempo de entrenar a otros antes de irse. Esto, por supuesto, dependerá del tipo de trabajo y de lo confiable que haya demostrado ser el integrante del equipo que se marcha. Para tomar esta decisión, es importante preguntarse: ¿la compañía lo despide o él quiere irse?, ¿cuáles fueron las causas de esa decisión?, ¿en su historial como empleado ha sido leal con la compañía?, ¿está de acuerdo con algún documento pre elaborado de no competencia o confidencialidad?, ¿cuál es su ética con relación a ayudar al cliente?, ¿si decidiera quedarse pondría en riesgo a la compañía? Deja muy claras las normas en cuanto a los clientes, una vez una persona deja de trabajar en tu empresa, o incluso estando dentro, el empleado no debe llevarse los clientes para otro lugar a menos que sea acordado previamente. Tú no quieres trabajar duro, pagar salarios, mercadeo, y todos los gastos que conllevan mantener tu negocio, para que luego, por no clarificar, pasen cosas que no quieres que pasen.

Con temas de horarios, ausencias o retrasos, y vacaciones, es muy importante enfatizar lo necesario de la planificación, puesto que los compañeros de trabajo y la empresa misma, se ven afectados si no se pueden organizar de una forma que la compañía o ellos mismos no se vean afectados. El equipo de trabajo, ante la ausencia de una persona, puede sentirse abrumado y esto causa una tensión que termina afectando a la prosperidad empresarial.

Acerca de los clientes y los productos

Información personal:

Defender la privacidad de un cliente es fundamental. Ni tú ni nadie de tu equipo puede compartir su información sin su autorización, bajo ninguna circunstancia. El cliente está confiando en ti y no proteger sus datos es poner en riesgo su vida financiera, e incluso, su integridad física, porque según la información que sea, este cliente podría ser víctima de un robo de identidad o algo más delicado. Además, en muchos países la protección de datos está muy regulada y cometer una infracción de ese tipo te puede acarrear multas muy grandes. Sumado a esto, hay que añadir que no es ético repartir ningún tipo de información de alguien que confió en ti.

Procesos:

- Haz una lista detallada de los documentos requeridos cuando un cliente quiera obtener un producto o contratar un servicio

- Define qué hacer cuando tu empresa no puede atender a un cliente: ¿lo cedes a otra compañía?, ¿bajo qué límites o condiciones?

Productos o servicios:

- Explica con claridad el alcance de la cobertura de cualquier tipo de producto o servicio que ofrezcas. Deja claro lo que incluyes y lo que no, y que los empleados siempre sepan explicarlo al cliente antes de que se efectúe el pago. La gente no compra lo que no tiene claro; entregan su dinero a cambio de algo, por lo que si no hay beneficio para ellos, o no se aclaran puntos que pueden ser confusos, es raro que haya ventas.

• Aclara en tu entrenamiento los pasos para realizar una cotización para tu compañía. Hay productos maravillosos y clientes que los quieren consumir, pero es muy fácil que un cliente se vaya si no recibe algo claro y profesional por parte de la compañía, en donde se aclare el beneficio que va a recibir. A veces el cliente cree que están evitando las clarificaciones y que el precio puede subir. Esto no da confianza. También es importante enfatizar los tiempos para cotizar, pues muchas personas entienden que si llega un estimado rápido, se va a trabajar de la misma manera. Si alguien no es claro y además tarda en enviar un presupuesto, y llega otra compañía con más rapidez y manda un estimado el mismo día, hay una percepción de mayor profesionalismo y puedes perder al cliente. Verifica si hay un sistema automático que te permita resolver esto al instante o con más agilidad y antes de enviar un estimado, asegúrate de que la persona implicada verifique nuevamente todos los descuentos aplicables, y que presente opciones. Entrena a tu equipo para hablar de la credibilidad de la empresa y busca un producto que ayude a la gente. Cubre sus inquietudes con el propósito de ayudar siempre. Haz preguntas sobre lo que realmente necesita el cliente y nunca asumas que no quiere tu producto. Escucha, escucha, ¡escucha! Pregunta lo que no tengas claro. Si tu cliente no quiere algo que ofreces, lo ideal es que te haga saber el porqué para buscar soluciones. Contesta con soluciones.

Pregúntate: ¿qué es lo que el cliente realmente está buscando? Escuchar, responder y complacer sus necesidades como respuesta es vital. Si no las cubres, es difícil que quiera obtener tu producto. La mayoría de las veces con solo hacer las preguntas correctas, tus ventas se incrementan y se cubren las necesidades de los que quieres ayudar.

- Entrenar acerca de cómo dar una expectativa realista de tiempo a los clientes, es esencial ¿Cuál es el tiempo promedio que se puede tardar en dar una cotización luego de recibir la información del cliente y luego en entregar un producto? ¿El cliente lo entiende? ¿Lo tiene claro? ¿Cuál es el tiempo promedio necesario para realizar un servicio por cliente para tu compañía?

- Debes además entrenar muy bien a tu equipo acerca de cómo rebatir las objeciones. Entrenen con todo lo positivo del producto y todo lo negativo que pueda pasar en una venta, para poder plantear soluciones. Tus trabajadores deben reflejar firmeza y seguridad, debe notarse que están bien capacitados, que no tienen dudas ni crean confusión. Esto se dará con facilidad si los puedes entrenar para conocer a la perfección los productos. Hazte el regalo de mantener, para ti y para tu equipo, la presentación completa de todos tus productos, escrita palabra por palabra, identificando y resaltando las palabras o conceptos claves que serán imprescindibles para dicha presentación. Esto te ayudará porque los nervios, la inexperiencia, la falta de práctica, e incluso el ego, pueden jugar malas pasadas en el momento de una venta y ahí vienen las frustraciones de los clientes.

Motívate a ser el primero en aprenderte la presentación y hazlo en orden, hazlo completo, y hazlo el cien por ciento de las veces que expliques un producto. Una vez tu presentación sea aprobada y aprendida, ya no tendrás que pensar tanto; la harás y ya. ¡Simple! De esa forma disfrutarás más tu día a día.

- Explica con mucho detalle cómo recibir pagos, si el sistema permite recibir tarjetas de crédito, efectivo, giros postales, transferencias bancarias, o cualquier forma de pago que te permita aceptar. Desconocer este detalle puede dañar una venta.

Hablar menos, actuar más

¿Por qué tener un dueño de negocio o un miembro del equipo que habla demasiado afecta la producción de tu empresa?

Mientras hablas, si no es del interés de un cliente, pierdes el tiempo que deberías aprovechar para trabajar y ser productivo. Además, alguien que explica demasiado hace que el cliente se canse o se pueda abrumar con tanta información y tome la decisión de volver otro día porque necesita pensar en ello. Demasiada información cansa, por eso es mejor escuchar atentamente y complacer en lo que pidan. Así serás más eficiente y tendrás clientes muy satisfechos.

Concéntrate en las dudas y responde exactamente lo que te preguntan para que el cliente no crea que lo estás evadiendo con muchas explicaciones. Responder solo «sí», «no», «mmmm», «ajá» o cualquier otra muletilla, no es claro para ellos y hace que el experto parezca complicado. Como dije anteriormente: escuchar más tiene más ventajas.

¿Cómo los trabajadores en tu compañía pueden trabajar menos y ser más productivos? Siguiendo instrucciones. Ayuda a complacer a los clientes y a ofrecer lo que tu compañía ofrece de la forma que quieres. Tener todas las preguntas respondidas al momento de cotizar tu producto, ayuda a que los empleados no tengan que perder el tiempo yendo y viniendo. Haz lo mejor desde el principio. Presta atención a los detalles.

¿Por qué es tan importante tener personal que sea excelente siguiendo instrucciones? Porque cuando sigues instrucciones, haces exactamente lo que el cliente quiere; le complaces. No olvides que estamos aquí para ayudar a la gente y hacerla feliz, siempre y cuando no afecte la ética de la compañía, al cliente o a la empresa. Se hace más fácil entrenar y ayudar a ese nuevo miembro del equipo a que le vaya mejor si es bueno siguiendo instrucciones.

¿Por qué cuestionar las instrucciones es contradictorio y genera negatividad?

Porque nos hace perder el tiempo y hace que el ambiente sea negativo. Queremos ser positivos y queremos que la gente siga las instrucciones para que el equipo no se frustre.

Cada paso de una capacitación tiene una razón experimentada durante mucho tiempo, en muchos casos. Por eso si queremos que una compañía sea exitosa y sabemos que la fórmula funciona, hay que respetarla para aprender.

Motiva al equipo a que si su respuesta es negativa, aporte una solución cuya eficacia haya sido demostrada. Si una persona sigue todas las instrucciones de la compañía y estas no funcionan, será culpa de la compañía, no del empleado, por lo tanto, no está de más aclararlo para que sigan el entrenamiento con confianza, claro está, si realmente el sistema funciona.

Deuteronomio 8:17-18

«Todo esto lo hizo para que nunca se te ocurriera pensar: "He conseguido toda esta riqueza con mis propias fuerzas y energías". Acuérdate del Señor tu Dios. Él es quien te da las fuerzas para obtener riquezas, a fin de cumplir el pacto que les confirmó a tus antepasados mediante un juramento».

Reflexiona:

- ¿Qué productos o servicios quieres ofrecer?

_____

_____

- ¿Sabes todo sobre tu producto o servicio?

_____

_____

- Atrévete a escribir un manual de funciones y un documento para el entrenamiento de tus empleados actuales o futuros, basándote en la manera que haces las cosas o cómo quieres que sean en un futuro.

_____

_____

Enséñale a tu equipo cómo enfocarse, pero primero aprende tú para que empieces desde ya a sacar todas tus metas adelante y ayudarles también a ellos a lograrlas.

Todos tenemos esa capacidad, ¡créelo!, pero sin acción, sin ánimo o motivación, ¿cómo lo vas a lograr? Aparte de un buen entrenamiento, consciente y de sentido común, puedes motivarlos de manera que disfruten trabajar para ti. Haz un plan con cada una de sus metas también. Lo más importante en lo que ves en un papel y lo que no ves en ninguna parte, es encontrar la claridad que da confianza. Sin un buen plan y sin un guía espiritual que te llene de mucha esperanza y fe, llevar a cabo propósitos tan grandes se puede convertir en algo imposible para muchos. Recuerda hacer tu plan divertido para que disfrutes de tener un buen equipo de trabajo, para tu beneficio y también el de ellos.

Capítulo
QUINCE
VUELVE A SOÑAR Y TRABAJA
EN TUS FINANZAS.

Los problemas financieros nos afectan a todos en algún momento de nuestras vidas, pero nunca es tarde para salir adelante. Los tenemos no por falta de capacidad para administrar, sino porque nos falta organización, acción y una buena guía. A veces, no tenemos la información adecuada porque no se nos ha enseñado a manejar nuestro dinero, o no nos han enseñado a manejar una de las mejores fuentes que es la Palabra de Dios.

En este capítulo compartiré contigo un plan de apoyo y mucho material para tener un balance en tu economía. Es un capítulo muy práctico, así que encontrarás muchas preguntas de reflexión que te animo a responder para que sea más efectivo. La motivación es que puedas tener dinero de sobra para disfrutar lo que te hace feliz.

Todos tenemos algo en lo que trabajar para alcanzar sueños y metas (a menos que las hayamos alcanzado todas. De ser así, sigue soñando que esta es la chispa de la vida; soñar es gratis y entretiene). Pero, ¿qué tal si te propones realmente a lograrlas?

Tú tienes tus propios sueños. Vívelos y nunca te vayas tras los sueños de los demás, porque todos hemos sido creados para propósitos diferentes, nos mueven motivos diferentes, tenemos experiencias diferentes, y miedos y debilidades diferentes. Si tu idea es responsable y tienes un buen plan, pero sientes miedo, sigue moviéndote hacia delante, aunque ese miedo intente paralizarte. Sigue con la fortaleza de dar el primer paso. Vencer el miedo es la clave de la confianza en ti mismo. Pasará el tiempo y ya estando ahí, en el lugar que deseabas, te darás cuenta de que no era tan difícil como te hacían sentir tus propios límites mentales y emocionales.

No tengas miedo de ti mismo, o de tus familiares o amigos; recuerda que nadie más puede vivir tu vida, la vida para la que Dios te creó y que tiene un propósito que tal vez pocos entienden, pero que a ti te apasiona, como si dentro de ti se gestara un bebé que te motiva a seguir adelante. Cuando quieras vencer ese miedo, ora, enfócate en tu misión y sigue sin mirar atrás.

Cuando queremos arreglar nuestro carro, miramos en el manual, leemos toda la información e instrucciones, y después vamos y lo arreglamos, porque nos hemos preparado para hacerlo. Pero cuando se trata de las finanzas, muchas personas evaden el tema, no se preparan, en muchos hogares no se lee acerca de este asunto, no se preguntan ni se responden como familia, cómo manejarlas mejor. En muchos casos, no somos capaces ni siquiera de contar nuestros problemas financieros a nadie, mucho menos a un profesional en el área, pero Dios sí lo sabe, así que nos dejó una buena herramienta para que nos preparemos y manejemos nuestro dinero de acuerdo a sus principios y a su santa voluntad.

Esta guía dejada por Dios es una muy buena herramienta para tu progreso, así que te recomiendo que la uses porque con ella estarás muy bien.

> ## Proverbios 24:3-4, NVI
> *«Con sabiduría se construye la casa; con inteligencia se echan los cimientos. Con buen juicio se llenan sus cuartos de bellos y extraordinarios tesoros».*

Sabiduría no es tener conocimiento, o poseer cierta información. Es información, conocimiento y entendimiento sumados al criterio de saber qué es lo correcto. La Biblia, en el libro de Santiago, capítulo 1, nos enseña que si tenemos necesidad de sabiduría, se la podemos pedir al Señor.

Dicho esto, quiero darle tres consejos prácticos, tres principios de sabiduría que te ayudarán a manejar mejor tus finanzas.

1. **Ora con regularidad y comienza hoy.** Empieza pidiendo sabiduría financiera, Él te la concederá porque te creó y está en tu corazón. Él sabe tus intenciones y por qué haces lo que haces. Comienza esto el día de hoy, ¡hazlo! La oración da esperanza, da vida, no tiene que haber un tiempo fijo establecido, es como una conversación constante. Hazlo durante las comidas, antes de acostarte, en el trabajo, o donde quieras, pero comienza a hacerlo lo más pronto posible. Si no sabes cómo, puedes repetir algo así:

Señor, necesito de tu sabiduría para manejar mi vida financiera y mi negocio. Te prometo que trabajaré con propósito, con mi fe puesta en ti. Protege mi casa, mi familia y mi negocio. Amén.

No menosprecies el poder de la oración.

2. **La prudencia es esencial para el éxito económico a largo plazo.** Muchas de las pérdidas económicas que vemos en los hombres de negocios en todo el mundo, se deben a malentendidos, malos comentarios, rumores que nunca se verificaron, o también a inversiones apresuradas o decisiones imprudentes que no permitieron armar un plan con prudencia y disfrutar del negocio también con ella. Ser prudente es muy importante para mantenerte con ganas de seguir tu negocio en los momentos buenos y malos hasta sacarlo adelante. Disfruta lo que haces, encuentra tu pasión, planea con prudencia, usa

palabras prudentes, sé prudente en tus relaciones, ten prudencia con lo que escuchas, y aplica la prudencia en tu toma de decisiones económicas. Toma un tiempo razonable para orar y buscar la guía en la palabra de Dios, tanto para las inversiones pequeñas como en las más grandes, ya que cualquier paso es muy importante en un negocio. A pesar de que sientas que el Señor quiere que hagas algo, sé prudente porque eso puede venir de una emoción del corazón y no ser de Él. Si tienes dudas, sigue la Palabra de Dios.

3. **Invierte tiempo en ti, en aprender, en llenar tu espíritu.** Esta es la fuerza que necesitas para salir adelante en medio de problemas, y es la que te ayudará a caerte y levantarte más rápido y con una actitud positiva. Separa tiempo para aprender sobre cómo Dios quiere que administres «las tres famosas T»: tiempo, talento y tesoros. Así disfrutará de sus finanzas y sus procesos.

Reflexiona:

• Escribe tus sueños (mínimo tres, máximo diez)

_____

_____

• Escribe tus deudas, de menor a mayor, incluyendo cantidad, porcentaje de interés y lo que pagas mensualmente por cada una, y escribe al final el total.

_____

_____

- ¿Qué harías si te sobrara ese dinero al mes? ¿Qué sueño de la lista de arriba alcanzarías?

_____

_____

- ¿Crees que podrás trabajar con constancia y disciplina para lograr tus metas? ¿Por qué?

_____

_____

¿Por qué crees que hay tantas personas que les funciona pagar primero la deuda con mayor interés? Esto es porque se está invirtiendo el dinero en pagar porcentajes altos en vez de reducir una deuda, por lo tanto, este tipo de gastos generados hay que terminarlos más rápido para que puedas ahorrar más dinero, no pagando tanto interés.

Si todas tus tarjetas o deudas tienen la misma tasa de interés, ¿por qué piensas que a muchas personas les funciona empezar con la deuda de la más pequeña a la más grande? Esto es porque terminar la más pequeña es más fácil, y si la deuda empezó con un principal muy alto, probablemente tienes un pago mínimo alto, entonces al eliminar esa deuda que es más fácil de pagar, te sobrará más dinero para terminar la deuda que le sigue en orden, de menor a mayor.

La importancia del ahorro

Prepárate para que no tengas preocupaciones financieras cuando ya no puedas trabajar. Vivir con hambre es muy difícil y la comida cuesta; pasar frío es horrible y el techo cuesta, por eso la preparación es esencial. Necesitas empezar a ahorrar desde ya. Ahorra lo que puedas cómodamente, programa con tu familia lo que pueden hacer con los ahorros, sueñen juntos.

Reflexionen:

- ¿Qué metas tienen?

- ¿Cuáles son los sueños individuales y los que tienen como familia?

- ¿Cómo los van a cumplir?

Proverbios 21:20-21, NTV

«Los sabios tienen riquezas y lujos, pero los necios gastan todo lo que consiguen.

El que busca la justicia y el amor inagotable encontrará vida, justicia y honor».

> ### Proverbios 13:11, NTV
> *«La riqueza lograda de la noche a la mañana pronto desaparece; pero la que es fruto del arduo trabajo aumenta con el tiempo».*

> ### Proverbios 6:6-8, BLS
> *«¡Fíjate en la hormiga! ¡Fíjate en cómo trabaja, y aprende a ser sabio como ella! La hormiga no tiene jefes, ni capataces, ni gobernantes, pero durante la cosecha recoge su comida y la guarda».*

Como la hormiga, es nuestra obligación ahorrar para futuras necesidades. Nos ayuda a ser precavidos y prevenir para nuestra protección, sabiendo que en cualquier situación vamos a estar bien. No importa la edad que tengamos, qué bueno es saber y sentir que vamos a estar bien, que tenemos las finanzas para solventar una dificultad, que podamos trabajar porque queremos, no porque tengamos; que podamos tener ese tiempo para cumplir nuestros sueños porque tenemos reservas para lograrlo.

No sabemos hasta cuándo tendremos la energía para perseverar, así que mientras estés saludable disfruta de tus talentos y ahorra para el futuro.

Reflexiona:

- Cuando envejezcas, y si en algún momento te enfermas, ¿estás preparado económicamente para sustentarte con todas tus necesidades?

- ¿O quién te dará todo lo que necesitas?

- Si es un humano y no Dios, ¿qué pasa si en ese momento esa persona no puede?

Así que debemos estar preparados para los buenos y los malos tiempos, para poder sobrevivir.

Sobre el presupuesto

Presupuestar es una manera sabia y útil para manejar tu bolsillo y tu progreso económico. Muchos entienden que presupuestar es una manera inteligente de llevar cuentas de su dinero, pero, ¿cuántos en realidad tienen un presupuesto escrito como parte de sus finanzas personales o familiares? No muchos la verdad.

Tener un presupuesto escrito es muy importante porque te permite tener claridad a nivel personal, familiar, y también con tus socios.

Los presupuestos se necesitan en grandes y pequeños negocios. Quienes progresan y viven por sus presupuestos anuales, tienen un mapa para saber dónde están ubicados, y si hubiera gastos adicionales, esto ayuda a prevenir excesos y mantener un control.

Los presupuestos son solicitados por los directivos administrativos, accionistas, bancos que dan préstamos para negocios y en algunos casos, hasta el gobierno para calificar determinados tipos de programas. Si se quiere tener una perspectiva financiera sensata es necesario tener un presupuesto.

Sé fiel a tu presupuesto porque cuando todo está cubierto como se ha planeado, hay más paz, pues las necesidades están cubiertas, y el tiempo que dedicas en estas preocupaciones se puede aprovechar para disfrutar la vida con familia, amigos y trabajo, sin que las finanzas sean un problema.

Ser diligente tiene extremas ventajas, pues desarrolla carácter y esto te ayudará a solucionar con eficacia, a enfocarte en la solución, a quitarte días de preocupación de encima, y a que tu mente se enfoque en avanzar y no a pensar en problemas. Pero actúa con paso firme, con decisiones sabias, sin apresurarte. Una mala decisión puede hacer que pierdas dinero, por lo tanto, si tienes dudas, puedes buscar ayuda profesional diligentemente.

Un presupuesto no es más que un plan para ahorrar y gastar dinero. Incluye la procedencia del dinero y cuánta cantidad esperar, así como los gastos que se van a cubrir, el dinero que entra y el dinero que sale, poniendo como prioridad las necesidades antes del placer, como el alquiler o la hipoteca, servicios públicos, comida, gasolina y seguros, contemplando también gastos ocasionales o inesperados.

Al presupuestar, cuando llega nuestro salario, la familia ya sabe cuánto de ese salario se necesita dejar a un lado para pagar las cuentas que vienen, y cuánto hay para extras, como por ejemplo, salidas a cenar o ir al cine, viajar, invertir y multiplicar el dinero, Todo está planeado y cubierto, sin incertidumbres o falsas expectativas.

Si tu caso es que trabajas, te quejas por dinero todo el tiempo y no te consideras derrochador, necesitas urgentemente desarrollar un plan para saber a dónde va tu dinero, pues en muchas veces desaparece en pequeñas cantidades que suman rápidamente.

Para administrar tu dinero y tu presupuesto, necesitas disciplina. La disciplina te ayuda a cumplir sueños que requieren dinero y te permite tener más estabilidad financiera y emocional mientras los cumples.

El principio de un sabio capataz que maneja sabiamente sus bienes y los de una familia o negocio, no siempre es fácil, pero con costumbres correctas se disfruta y se logra. Probablemente eso supondrá tener que posponer algunas compras o definitivamente olvidarte de hacerlas, pero esto será temporal para buscar la abundancia futura. El hombre y la mujer que pueden manejar sus recursos sabia y cuidadosamente, podrán ver que sus necesidades familiares y de negocios estarán cubiertas de una forma exitosa.

Algunas consideraciones acerca del dinero

1. Trabaja con disposición para disfrutar de cualquier ganancia, sabiendo que Dios es quien te prospera. Cuando olvidas la procedencia de tus bendiciones materiales estás en serios problemas.

2. La ausencia o abundancia material no evidencia tu estado espiritual. Nadie vale más o menos por su dinero. Este concepto te permitirá interactuar con la sociedad de una manera más real, entendiendo que todos somos iguales. Esto ayuda a cualquier empresa a progresar más, ya que se puede ser más próspero ayudando a más tipos de personas.

3. Somos mayordomos de nuestras posesiones materiales (Véase Levíticos 25:23) Los problemas se acrecientan cuando creemos que los bienes materiales son algo nuestro. Dios es soberano, y Él es proveedor y sustentador de todo lo que tenemos.

4. Las finanzas son un medio que Dios permite para hacernos crecer como personas piadosas, y como prueba de nuestra confianza en Él.

5. Está bien ser prósperos, pero debes estar persuadido de que con el dinero no se puede comprar la seguridad, ni

los bienes materiales confieren llenar el espíritu, este se llena según cómo lo utilices.

Sabiduría en la administración del dinero

La forma en que manejamos nuestras finanzas tiene mucho que decir sobre quiénes somos interiormente: las cosas que valoramos, los principios que obedecemos y el proceso de pensamiento que seguimos para tomar decisiones. Necesitamos producir un cambio interior para lograr un cambio exterior. Si no estás muy contento con tus resultados financieros, es hora de cambiar de plan.

Las deudas pueden destruir relaciones, y en algunos casos, hasta causar suicidios, así que este tema es muy importante. La escasez, en ciertas circunstancias, produce problemas. La medalla se la lleva la falta de buscar soluciones que provoca separaciones, rompimientos y divorcios en casos en los que las finanzas no son bien administradas.

La manera correcta o incorrecta en el uso de las finanzas es una situación que abarca tanto a creyentes como a no creyentes. Tener dinero no significa ser espiritual, y no tenerlo, tampoco. Es importante disfrutar la prosperidad en una forma sana y con intención de ayudar a otros, pues la satisfacción de las personas exitosas es vivir con propósito. Esto evita los vacíos, la pérdida de energía y fortaleza espiritual, y previene las excusas al ignorar un problema real.

Los Proverbios nos recuerdan que el Señor está muy interesado en la manera en que nos ganamos la vida.

Entendemos que Él nos da talentos para hacer el bien y utilizar nuestros dones. Te comparto unos consejos sabios extraídos del libro de Proverbios que nos dan una instrucción bíblica en lo referente a la adquisición y uso del dinero.

Proverbios 16:11

«Dios quiere que seas honrado en todos tus negocios».

Proverbios 22:22-23

«No abuses del pobre solo porque es pobre, ni seas injusto con él en los tribunales. Dios es abogado de los pobres, y dejará sin nada a quienes les quiten todo».

Proverbios 10:2

«De muy poco aprovecha el dinero mal ganado. Lo que vale es la honradez, pues te salva de la muerte».

Proverbios 11:18

«Las ganancias del malvado no son más que una mentira; la verdadera ganancia consiste en hacer el bien».

Proverbios 21:6

«Las riquezas que amontona el mentiroso se desvanecen como el humo; son una trampa mortal».

Proverbios 10:4

«Si no trabajas, te quedas pobre; si trabajas, te vuelves rico».

Proverbios 20:13

«Si solo piensas en dormir, terminarás en la pobreza. Mejor piensa en trabajar, y nunca te faltará comida».

Incluso por tu propia protección, es vital cuidarse de recibir dinero de personas que lo han adquirido deshonestamente. No te quieres ver involucrado en algo así, o acumular razones para no tener paz al dormir. Mantén presente que hay demasiados negocios que puedes hacer honestamente para ganar dinero y tener paz. ¿Estás apoyando algo que al final no te ayudará a disfrutar la cosecha? Recuerda: el punto es disfrutar la prosperidad y servir de ejemplo para que otros salgan adelante. Nunca debemos hacer lo incorrecto para obtener alguna ganancia. Hay cosas más importantes que los beneficios materiales, como la paz, la tranquilidad, la armonía, la estabilidad emocional y familiar.

Jamás debemos cambiar esas prioridades. Te traerán felicidad, orgullo y un ejemplo para tus generaciones, pues uno no le quiere dejar problemas a alguien que ama.

Reflexiona

- ¿Crees que eres bueno en la administración de tus finanzas o debes delegar?

_____

_____

- ¿Tienes deudas?

_____

_____

- ¿Tienes ahorros?

_____

_____

- ¿Sientes paz cuando hablas de tus finanzas?

_____

_____

- ¿Cómo te gustaría sentirte en tu área financiera?

_____

_____

- ¿Qué decisiones crees que necesitas tomar para mejorar tus finanzas?

_____

_____

La puerta de la prosperidad espera por ti

La llave de tu negocio se encuentra en la suma de tu potencial y tu propósito

A lo largo del libro hemos acumulado herramientas que nos ayudan a motivarnos a alcanzar nuestros sueños, y lo más importante: pasar a la acción para lograrlo, ponerle diligencia al asunto. No es intensidad, es utilizar esa pasión y ese propósito que tienes para hacer diligentemente lo que hay que hacer.

> **Proverbios 10:4, RVC**
> *«Las manos negligentes llevan a la pobreza; las manos diligentes conducen a la riqueza».*

Porque sí, es bueno tener riqueza, hay que derribar el paradigma de que los ricos son malos o que el dinero no es bueno. Es importante que por lo menos tú tengas clara tu propia interpretación, para que estos comentarios no te traigan negatividad y cambien tu mente positiva, haciéndote sentir culpable de tener prosperidad como Dios quiere que la tengas. Si miras detenidamente y lees un poco más acerca de esto, verás que la abundancia viene de Dios y que el problema no es tener dinero, sino amarlo de una forma que te quita la paz o afectas a alguien con el.

1 Timoteo 6:10, KJV

«Porque el amor al dinero es la raíz de todos los males, el cual codiciando algunos, se extraviaron de la fe y fueron traspasados de muchos dolores».

El único amor debe ser hacia Dios para prevenir problemas. La mirada debe estar en Él, en el propósito. Si humillamos a alguien con el dinero, ya es una arma destructiva y no conveniente para el que la maneja, y con esa actitud se pierde familia, amigos y personas que pudieron ser de prosperidad para esa persona.

El amor a Jesús y la obediencia a sus principios son la clave del éxito. Cuando trabajamos con amor, como si trabajamos para Dios, el dinero y todas sus bendiciones vendrán. No sufras por dinero, sufre si pierdes la calidad del trabajo que haces para Dios. Eso es diferente.

Si tu auto está roto, no sufras, solo arréglalo. Si tienes que pagar una factura, simplemente págala, ni siquiera pienses en ello. O si no tienes el dinero, enfócate en la solución para conseguirlo y poder pagar lo que te quita la paz.

Si estás amando más el dinero que el propósito, necesitas cambiar tu forma de pensar. De no hacerlo, dejarás de disfrutar las bendiciones de Dios

Aceptar que es importante trabajar en tus finanzas, trabajar usando tus talentos, no renunciar a tus sueños con fe y pedirle a Dios que te dé sabiduría, es un gran paso. Como lo escribí anteriormente: Ya verás cómo Él te guiará a las personas adecuadas, te abrirá puertas, te ayudará a sustentarte y te dará la forma para que puedas ayudar y empoderar a las personas que amas para que tengan éxito financiero. Pídele a Dios que te enseñe a usar el dinero como Él quiere que tú lo uses.

Él obra milagros, Él es capaz de hacernos cambiar de opinión si algo negativo no nos deja seguir adelante, es capaz de darnos en abundancia si cree que usaremos el dinero para el bien. Él conoce nuestro corazón.

Ser rico es vivir la vida no para uno mismo, sino para Dios. Es vivir una vida consagrada y motivada por amar a Dios con todo el corazón, alma, mente y fuerzas. Creo que cuando Dios ve esto en tu corazón te llena de abundancia porque sabe que tu alma es suya y no del dinero.

Después de la conversación de Jesús con un joven rico (Mateo 19:16–22), Jesús dice algo notable (v. 23): «De cierto os digo que difícilmente entrará un rico en el reino de los cielos». Acababa de prometer vida eterna a un joven si vendía todas sus posesiones, daba el dinero a los pobres y lo seguía. Ese desafío estaba destinado únicamente a ese hombre, no a todas las personas, porque este joven demostró que no estaba verdaderamente dispuesto a obedecer a Dios. El hombre no pudo o no quiso hacerlo.

Esto no significa que Jesús pensara que el dinero fuera malo, solo demostraba que el joven rico amaba más el dinero que él. Entonces, si Jesús propuso compartir las riquezas con los pobres, ¿por qué es malo que Dios te las proporcione?

Esto demostró que está bien recibir bendiciones financieras de parte de Dios, si con ellas ayudas a otros. La prueba es que Dios ama también a los pobres y por eso quería repartir este dinero con ellos, por lo tanto, no consideraba el dinero malo.

Proverbios 13:11, NVI

«El dinero mal habido pronto se acaba; quien ahorra, poco a poco, se enriquece».

Quinta parte:
La llave maestra

Guía del emprendedor

A continuación encontrarás una guía que resumirá los significados de las llaves que necesitas para abrir la puerta al éxito en tu emprendimiento. ¡Empieza desde ya como un ganador!

Cinco consejos para ti

1. **Aprende a decir no:** Si lo que te proponen o lo que tú mismo deseas no está tu presupuesto, si hacerlo perjudica a tu empresa o tus empleados, o si compromete tus valores, tu salud o tu bienestar, la respuesta siempre debe ser: ¡no!

2. **Edúcate:** Nada te ayudará a crecer más que la educación. Busca todos los cursos, talleres, seminarios o formaciones que requieras para crecer en lo que necesita tu negocio, incluyendo tu sabiduría financiera. Proverbios 4:5-7, RVR1960: «*Adquiere sabiduría, adquiere inteligencia. No te olvides, ni te apartes de las razones de mi*

boca. No la dejes, y ella te guardará. Ámala, y te conservará. Sabiduría ante todo; adquiere sabiduría, y sobre todas tus posesiones adquiere inteligencia».

3. **Asesórate:** Busca el consejo de profesionales, un miembro de tu familia experimentado, una persona de negocios exitosa, o, incluso, un consejero de deudas. Estos últimos te pueden ayudar a establecer un presupuesto, manejar tus ingresos, gastos y deudas, ya que esto te puede encaminar para que cuides a tu familia de la mejor manera posible. Escucha a los que tienen más experiencia, a los que se cruzan en el camino y especialmente a los inversionistas. La humildad es básica en aprender. Te guste o no, es importante que desarrolles el aprender de otros, te puede costar mucho más caro el aprender a golpes por ti mismo. Escuchar consejos y sugerencias no quiere decir que tengas que hacer todo lo que te digan, pero sí podrás tomar tus propias decisiones con una perspectiva más amplia, luego de escuchar y analizar con el objetivo de crecer.

4. **Ten un buen círculo de apoyo:** Vas a invertir mucho tiempo, recursos y energía en tu nueva aventura empresarial, así que necesitarás cerca a ti gente que te ame y apoye, empezando por tu círculo inmediato; es decir, tu familia. Dialoga con ellos, explícales que este proceso los retará en lo económico

y emocional, e intenta que estén de acuerdo. Ten en cuenta que es normal que al principio estén nerviosos y no te puedan mostrar del todo su respaldo, especialmente si no conocen el terreno en el que quieres incursionar y no tienen la misma mentalidad que tú, pero en vez de que te frustres, respeta su opinión y demuéstrales con hechos quién eres. Si nadie te apoya, recuerda que este es tu sueño y tu lucha, obviamente el proceso será más fácil si cuentas con ellos, pero la motivación es tu responsabilidad, no la de ellos y hay otros grupos y círculos empresariales en los que te puedes apoyar e impulsar para crecer. Eso sí, aun cuando no cuentes con el respaldo de tu familia, cuando te pase algo bueno, celebra con ellos, que la gente que te ama vea tu prosperidad. Utiliza a tu familia como motivación para salir adelante y llevar una vida mejor.

5. **Ten fe**: La fe en los negocios para mí ha sido esencial y es un consejo que te brindo, sea cual sea tu religión. Cree, no dudes y avanza. Cree en Dios y cree en ti.

Lo que no te puede faltar

1. Estructura legal

Consulta con tu contable o un profesional en el área en donde vives, qué te conviene más: ser único propietario, tener un socio, ser parte de una cooperativa, formar una sociedad de responsabilidad limitada, una corporación, o tener una organización sin fines de lucro. Recuerda que cada lugar en el mundo tiene sus propias leyes y regulaciones.

Defínelo y escríbelo aquí:

Mi estructura legal es _____

2. Un nombre

Decide un nombre que vaya con tu ideal de negocio, esa será tu marca. Luego verifica si el nombre que escogiste está disponible en las registraciones legales de los negocios de tu área y también en los dominios de internet. Esto es muy importante para evitar confusiones en los clientes y también para determinar si lo puedes usar libremente en tu país y estado.

Defínelo y escríbelo aquí:

El nombre de mi empresa es _____

3. El registro de tu empresa

Si el nombre que quieres está disponible, te sientes cómodo, es lo que quieres y va acorde con tu ideal, regístralo lo antes posible en las oficinas correspondientes. Si es imposible para ti, la patente puede esperar. Las patentes pueden costar mucho dinero y registrar tus ideas es más asequible. Muchos empresarios recomiendan pagar esta cantidad solo si el producto demanda su patente y cuando estés seguro de que conseguirás los clientes suficientes para saldar las cuentas.

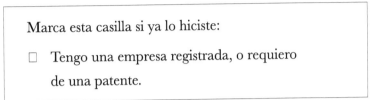

Marca esta casilla si ya lo hiciste:

☐ Tengo una empresa registrada, o requiero
   de una patente.

4. Un plan de mercadeo

Aprovecha los recursos gratuitos como las redes sociales, pero, si tienes la posibilidad, trabajar con un experto que te ofrezca consejos y experiencia para sacar adelante tu proyecto, será muy ventajoso.

Marca esta casilla si ya lo hiciste:

☐ Logré definir mi plan de mercadeo y/o
   contacté con un experto para ello.

5. Protección y seguridad

Asegúrate de que tengas el seguro adecuado para proteger tu compañía y a ti como empresario, especialmente contra demandas. Esto te ayudará a trabajar más tranquilo, pues estarás protegido en caso de algún error. Los seguros pueden variar según el tipo de negocio y el área en la que vives. Si trabajas desde tu casa o en un local, asegúrate de que tu seguro incluya también los robos de equipos y documentación, así como la responsabilidad por los daños relacionados con la misma.

Marca esta casilla si ya lo hiciste:

☐ Ya contraté todos los seguros que necesito y
mi empresa está protegida.

6. Cuentas claras

Mantén los libros de contabilidad al día, con claridad
y extrema organización. Hay muchas compañías que
venden mucho y les va muy bien, pero que al final se
ven forzadas a cerrar por una mala administración. Ten
como regla innegociable no gastar más de lo que entras;
aprende a crecer con las ganancias, no con las deudas.
La organización en una empresa es vital. Registra absolutamente
todo el dinero que entra y sale del negocio. Si no te gusta
la papelería, los números o no te sientes capaz, contrata a
alguien que sí lo sea, pero mantén en mente que un negocio
sin una buena administración, simplemente no funciona.
Un gran problema de los que quieren emprender es
que sueñan con tener todo y empezar en grande, y al
verlo tan difícil por las deudas que aquello supone, no
empiezan y prefieren no hacer nada. Pero por experiencia
te puedo decir que está bien empezar siendo pequeño,
incluso es más satisfactorio cuando ves el progreso.
En mi caso, por ejemplo, para empezar con uno de los últimos
negocios que emprendí en el año 2008, no tenía los recursos
suficientes. Era un negocio basado en servicios, y empecé
subarrendando una oficina pequeña con solo dos escritorios

bien ajustados. Como te conté en capítulos anteriores, con el tiempo pude pasarme a una oficina más grande y luego, a otra más grande, utilizando únicamente los ingresos de la misma compañía. Tiempo después se me abrieron muchísimas puertas y tuve la bendición de tener mi propia agencia, en un lugar con muy buena localización, justo al lado de una avenida principal en Winter Park, Florida. Allí estuve rentando por aproximadamente diez años, antes de comprar un local en el que tuve la oportunidad de ahora ser yo la que puede subarrendar espacios a otros, como dueña de otras oficinas. Si yo no hubiera empezado de abajo humildemente, si hubiese gastado sin orden para tener todo en grande desde el principio, si hubiera administrado mal los recursos que ingresaban, esto no habría pasado, es que ni siquiera habría empezado.

7. Una locación adecuada

Si tu tipo de negocio te permite trabajar a domicilio o de forma remota, una buena fórmula para reducir gastos es hacerlo desde tu casa. Pero debes tener en cuenta también que a muchos clientes les gusta tener un lugar para ir y ver que el negocio realmente existe, lo que provoca en ellos mayor credibilidad acerca de la estabilidad de la empresa. Para ello, algunas empresas ofrecen la doble opción de trabajar remotamente y también tienen un lugar para presentar a los clientes. Sin embargo, los tiempos han ido cambiando —en especial después de la pandemia de covid-19—, y ya las personas ven como algo más común y aceptable que las personas hagan teletrabajo.

Te recomiendo que analices los siguientes factores:

- ¿Qué presencia es buena para tu negocio?

- ¿Quieres expandirte o tu ideal es un negocio donde puedes o necesitas estar con tu familia en casa?

- Analiza en dónde te puedes concentrar más.

- ¿En el entorno de trabajo que elijas hay ruidos poco profesionales que un cliente escuchará cuando llame? Esto es muy importante, porque, aunque no lo creas, lo que los clientes escuchen de fondo en una llamada puede hacer caer una venta, o, por el contrario, retenerlos con una imagen y un servicio profesional. Lo que reciban al otro lado de la línea, en especial si no te conocen físicamente, puede transmitir mucha o poca credibilidad para tu negocio. Recuerda que el cliente debe sentir que está llamando a una compañía seria y estable, y necesita escuchar con claridad lo que le explicas.

No bajes tus niveles de calidad. Escoge una locación que se adecue a las necesidades de tu negocio, que ofrezca una oportunidad para crecer, una correcta accesibilidad para los clientes, y el nivel adecuado de competencia y cercanía para los proveedores. Ahora, ten en cuenta que si no es necesario, no debes preocuparte por una oficina; lo importante es que empieces ya. Si no puedes tener un espacio propio para trabajar, puedes hacerlo desde casa o desde un lugar en el que estés cómodo, acorde a tus ingresos, en donde disfrutes tu proceso, tengas paz y tu negocio sea exitoso.

Tus «siempre sí»

- **¿Debo publicar en mis redes sociales todo el tiempo? ¡Sí!**

  El negocio debe mantenerse vivo y las redes sociales es un espacio idóneo para reflejar a tus clientes actuales y potenciales que estás activo. No te sientas mal al compartir tus triunfos, deseos y luchas; busca motivar y ayudar con tus productos. Los clientes disfrutarán tu honestidad y entrega con cada nueva información.

- **¿Debo crear y ofrecer nuevos productos y servicios con regularidad? ¡Sí!**

  Es importante que tus clientes sepan la variedad de productos que tienes. Haz paquetes de promoción y asegúrate de cuidarlos dándoles nuevos productos o servicios. Si tu negocio lo permite, compra grandes cantidades de producto, porque entre más productos compres, más descuentos obtendrás y podrás tener un mayor margen de ganancia.

No te quedes con productos estancados. Muchas compañías fracasan porque no toman la acción de deshacerse de productos en los que invirtieron mucho dinero, manteniendo un producto sin rotación y con gastos que no le convienen a nadie. Si ya probaste haciendo el mercadeo adecuado, y, aun así, no funciona, renueva.

- **¿Debo ser paciente y mantener el enfoque? ¡Por supuesto que sí!**

Espera y enfócate en lo que tienes que hacer, teniendo siempre en mente que el éxito no llega de la noche a la mañana. No te frustres de inmediato. Mucha gente piensa que porque no eres millonario, no eres exitoso, pero ¿eres feliz con lo que haces?, ¿te da salud?, ¿te da alegría?, ¿lo que haces te permite ser feliz con las personas que te importan? Tu empresa no es un fracaso si no eres millonario; por el contrario, es admirable que tengas la gran valentía de tener y vivir de tu negocio. Si recibes ganancias generadas haciendo algo que te apasiona, ya es una historia de gran éxito, no te desesperes. Pero también mantente positivo, porque es posible que llegues a ser millonario si sigues el proceso. Sí es posible. Este sueño también se puede hacer realidad, está comprobado.

Puede que esto vaya a tomarte algo de tiempo antes de que ganes algo, algunos negocios toman meses y otros, años, ya que, dependiendo del tipo de negocio, usualmente los primeros meses son para recuperar lo invertido. Por esa razón es bueno contar con reservas para estar más tranquilos y disfrutar el proceso.

- **¿Debo mantener buenas relaciones con clientes, empleados y socios buscando lo mejor para todos? ¡Sí! Eso te hará diferente.**

La armonía es fundamental en los negocios, pues son muchos detalles que hay que resolver día a día y lo ideal es disfrutar el proceso con paz. Una vez tengas un nuevo cliente, no solo debes asegurarte de que quede satisfecho con tus productos y servicios, sino que debes ir más allá, dando solución a *sus* necesidades, no a las tuyas. De esa forma tendrás altas probabilidades de tener a este cliente de por vida. Pero si tu idea inicialmente es rechazada por los clientes, inversionistas u otros, no lo tomes como algo personal ni recurras al enojo. Agradece lo que recibes solo para ser mejor y permite la honestidad en las personas. Descubre qué fue lo que no les gustó, escucha, haz ajustes y regresa con ellos una vez que hayas cambiado lo que querían. Esta es una forma rápida de crecer.

Si tienes problemas con algún empleado, asegúrate de que se resuelvan. Discúlpate si los tratas mal. Si cometiste un error, busca soluciones sin culpar a alguien de algo que tú hiciste. La injusticia no trabaja para nadie, los sentimientos se quedan y eso afecta tu negocio. No hables a espaldas de nadie, busca las palabras corteses, de respeto, pues todos somos iguales, todos estamos buscando un objetivo común y todos nos merecemos progresar. Con discordia es difícil sacar un proyecto.

Si tienes un problema, busca solucionarlo lo más pronto posible, aunque no siempre «ganes». A veces lo que parece una pérdida, se convierte en ganancia, porque tu estado de ánimo y tu motivación valen mucho más. No dejes pasar el tiempo, pues entre más tiempo pase, más oportunidades darás para malas interpretaciones. Las peleas y malos entendidos pueden ser grandes distracciones que apartan el enfoque de hacer las cosas bien en tu negocio.

- **¿Debo traer más personas a mi negocio? ¡Sí, pero analizando tus decisiones MUY bien!**

¿Es mucho trabajo que consume tu tiempo personal? Busca ayuda, extiende horas, cambia precios, mejora tu servicio. Debes aprender a delegar, a formar equipos, y si es buena opción para tu negocio y analizaste bien los pros y los contras, al asociarte. Si no delegas, esto consumirá tu tiempo, pues es imposible que puedas abarcar todas las posiciones sin que haya errores.

Si en algún momento un socio adquiere una acción de tu compañía, debes reconocer el hecho de que eventualmente tendrás que renunciar a una parte del control del negocio. A partir de entonces, cada vez que haya que tomar una decisión, esta no será solo tuya. Y si la parte compartida es mayor de un 50 %, esa parte tendrá más votos (si así lo establecieron). Cuida tus decisiones y cuánto das al momento de tu asociarte.

Los veinte imprescindibles

1. Puedes redactar correos electrónicos y cartas modelo profesionales para tus clientes.

La correcta comunicación con tus clientes es crucial, porque algo mal redactado o que se preste para malas interpretaciones, te puede costar desde tu imagen profesional hasta repercusiones legales. Define desde el principio las comunicaciones aprobadas por ti para enviar a tus clientes y así siempre sabrás exactamente lo que tus trabajadores están enviando. De esa forma proteges a la compañía y tus relaciones con los clientes externos. Si no te sientes listo para redactar estas comunicaciones escritas de forma altamente profesional, contrata a alguien que sepa hacerlo, preferiblemente una persona o agencia relacionada con la comunicación, mercadeo o relaciones públicas. Esta persona también podrá ayudarte con las notas de prensa y otros comunicados oficiales que darán a conocer las novedades de la empresa.

2. **Prepárate para tus entrenamientos.**

En el capítulo 14 hablamos acerca de ello. Vuelve a leerlo, si sientes que necesitas recordarlo.

3. **Haz un plan para tu equipo antes de cada reunión.**

Cada vez que te reúnas con tu equipo, define con antelación los temas que quieras tocar y envíales este plan con antelación, para que puedan prepararse y darte su opinión con el objetivo de mejorar en las deficiencias y reforzar todo lo positivo. Esto te ayudará a tomar buenas decisiones. La opinión de tu equipo es muy importante, por lo tanto, debes asegurarte de que estos asuntos sean claros y que todos los entiendan.

4. **Contrata empleados adecuados.**

Una compañía se forma con un equipo fuerte y todos tenemos talentos diferentes. Contrata a personas con habilidades en las áreas que más te hagan falta para combinar los talentos y cubrir todas las necesidades. Cuando las personas se ubican en el lugar adecuado y todos hacen lo que les gusta, son más fieles y tú disfrutas más el proceso.

No te rindas ni te acomodes con cualquiera que no cuide tu negocio, trátalo como un hijo al que no quieres que nada le pase y quieres ponerlo en las manos correctas.

5. **Benefíciate de los referidos y de lo que la gente cuenta sobre tu negocio.**

Un buen marketing es hacer que tu negocio vaya de boca en boca. Busca personas que influyan en otros, deja que tus amigos, familia e influenciadores divulguen lo que hace tu empresa, tus productos o servicios. De ahí la importancia de mantener buenas relaciones para ayudar a sacar tu compañía adelante, obteniendo referidos de tus clientes y sus comentarios positivos.

6. **Organiza y asiste a eventos sociales y de *networking* formales e informales.**

No tengas miedo de compartir con otros, ni de salir a mostrar tu producto y tu cara al público, en eventos de la comunidad, conferencias y reuniones, pero también cuando vas al supermercado, sales con un amigo o haces una visita. Habla de tu producto todo el tiempo, crea buenas relaciones con personas dentro y fuera de tu sector, porque nunca sabes dónde podrás encontrar una gran oportunidad.

7. **Conquista todos los sentidos de tus clientes.**

Es importante que crees tus tarjetas de negocio y volantes —físicos y digitales— donde comuniques lo que eres y ofreces, y que todo aquello lo distribuyas donde más puedas, pero también lo es que tengas en cuenta la mercadotecnia sensorial para hacerlo más efectivo. Esto quiere decir que sepas cuáles son los elementos correctos para la imagen de tu producto o marca (colores, tipografías, íconos, entre otros), pero que además, si tienes un evento o un espacio físico, determines qué luces, temperatura, música e incluso, aromas, son idóneos para transmitir sensaciones y conquistar los sentidos de tus consumidores.

8. Ofrece un servicio al cliente que exceda cualquier expectativa.

Siéntete orgulloso de lo que das, disfruta la sensación de que tu negocio va mucho más allá que conseguir dinero. Trabaja con propósitos grandes, disfruta de tus procesos con la gente que es importante para tu trabajo. Tu negocio podría ganar nuevos clientes si los haces sentir valiosos. Perfecciona tu servicio al cliente, analiza qué palabras, tono de voz y actitud se están utilizando para atenderlos, y hazlo cada vez mejor. De esta forma ganarás muchos compradores y tus ganancias se incrementarán.

No te conformes por comodidad, encuentra personas que escuchen y que sean buenos siguiendo instrucciones y poniendo atención al detalle. Una de las claves del servicio al cliente es escuchar, y si alguien lo hace bien, tus clientes sentirán que no tienen que insistir demasiado para que le resuelvan algo sencillo y eso se refleja en las ventas. Por el contrario, si un integrante del equipo siempre quiere tener la razón y hacer lo contrario a lo que un cliente desea, este se llenará de frustración, sentirá que está perdiendo el tiempo y por supuesto, eso también se verá en tus ventas.

Ante un mal servicio, es tu compañía la que queda mal y la que pierde clientes. Por eso es realmente importante que contrates personas ideales para cada puesto, observa sus talentos naturales, su actitud y su capacidad de aprendizaje. Aunque sea tu negocio, no siempre podrás lidiar con todo, por eso necesitas a gente calificada para completar el trabajo.

Sé rápido en tus entregas. No hay nada peor que contratar los servicios de alguien que no cumple sus promesas. Establece tiempos reales, aunque este sea un poco más de lo que realmente necesitas. Es preferible quedar como un héroe al entregar los trabajos más rápido de lo prometido, que luego quedar mal por no alcanzar a cumplir. No cumplir es el reflejo de un mal negocio. Tú estás para ayudar al consumidor, no para crearle ansiedad y estrés en el proceso. Comunícate con el cliente, explícale qué está pasando y por qué, disfruta complacerlo. Recuerda que el objetivo no es salir de ese cliente, sino cumplirle con excelencia para mantener tu reputación y tus buenas estrellas, y además recibir referidos. El negocio es un trabajo en proceso y si promocionas un producto o servicio con entrega rápida, serás capaz de construir una comunidad de clientes que te proveerán opiniones valiosas que te ayudará a mejorar tu calidad.

9. Asegúrate de tener un sitio web que funcione.

Los clientes que entren y vean información, deben tener opciones para comprar tu producto o contactar contigo para contratar tus servicios. Los clientes potenciales quieren tener la mayor información posible de tu negocio, y si pueden obtener allí todas las respuestas, será lo más práctico para ti y para ellos. Esfuérzate porque el acceso sea rápido y completo, ya que si hay facilidad, las ventas aumentarán.

10. No tengas miedo de competir con un negocio con más experiencia.

El mundo evoluciona con nuevas tecnologías e ideas innovadoras. Si eres creativo, disfruta hacer cosas diferentes. Nunca hables mal de la competencia, ni pretendas generar lástima, pues eso solo te afecta a ti. Si ellos ofrecen un producto o servicio que tú no das, no especules.

Cuando estés con clientes o inversionistas, no bajes a nadie para subir tú porque esto te hace quedar como poco profesional. Además, recuerda que si hablas de ellos, de forma positiva o negativa, indirectamente les estás dando publicidad y tal vez esto provoque el efecto contrario y hagas que los clientes se vayan con la competencia.

11. **No te preocupes tanto por tu economía, preocúpate en hacerlo bien y no rendirte.**

Algunos de los mejores negocios se lanzaron cuando la situación económica no era la mejor para el mundo. Yo, en particular, empecé uno de mis negocios en un momento en el que la economía estaba muy mal y había personas perdiendo casas y negocios. A donde yo comentaba que quería emprender, siempre me decían que no era el momento. Ahora, muchos años después, la compañía está, cada vez más, en sus mejores momentos. Así que no lo pienses tanto y ¡atrévete!

12. **Ora por tu negocio y sé íntegro.**

Para progresar hay que soltar, hay que confiar, hay que orar. Confiar en que cuando tienes un propósito bueno con tu compañía, tu fuerza más alta se encargará de tus cosas y protegerá tu negocio. En mi caso, como te conté anteriormente, mi fuerza más alta es Dios. La honestidad es esencial. Cuando puedes, puedes, y cuando no puedes, no puedes. No te comprometas a algo que no estás seguro de poder realizar.

13. Ten un balance entre vida social, negocio y familia.

Dedica tiempo a cada una de las áreas importantes de tu vida y respeta esos tiempos para que destu cienporciento en ellas. No mezcles. Cuando es el tiempo de trabajar, es el tiempo de trabajar, que no te distraigan las interrupciones, enfócate. Al principio requerirá más tiempo, porque la fundación debe ser firme y estable antes de descansar. Si es tiempo de familia o amigos, comparte, dales tu atención a los tuyos, hazlos sentir importantes, es el tiempo de ellos. Al final, ¿para qué trabajamos tanto, si no es para tener y disfrutar la vida que queremos con la gente que queremos y que nos quiere? También dedica tiempo para ti, piensa qué te hace feliz, y regálate un tiempo para trabajar en tu felicidad, en tu bienestar, en tus momentos de propósito. Maneja tus tiempos y respétalos para poder alcanzar tus metas. Los excesos en todo son malos y te destruyen. Disfruta tus tiempos y tus responsabilidades de una forma inteligente.

14. Acepta cuando sea momento de retirarse.

¿Te estás endeudando y ya no puedes más? Entonces esto no es un negocio, ya está causando un daño, y tal vez es tiempo de reinventarte. Algo así no es fácil de aceptar, pero trabaja con tu ego, con tu orgullo, con el qué dirán. Lo que importa eres tú y tu vida.

Si lo intentaste todo y el fracaso es inevitable, no pasa nada, es de valientes intentar. Haz a un lado tu orgullo y si no hay solución para mantenerlo, no te hundas, solo cierra. Piensa lo que es conveniente para ti y cómo tu negocio te está afectando, y toma la decisión, si es para mejor, hay que hacerlo. Hay personas que son más adecuadas para trabajar para alguien y eso también está muy bien. Sin personas así tampoco podríamos sostener compañías, porque gracias a los trabajadores es que muchas compañías salen adelante. Toma tu decisión a tiempo y recuerda que no perdiste nada por tratar. Antes de tomar esta decisión, asegúrate de tratarlo todo.

15. Escucha consejos, pero también confía en ti.

Pide opiniones de tus ideas a amigos y familia. Recuerda que las personas más cercanas pueden ser tus próximos clientes y si así no lo fueran, son seres humanos que consumen y son quienes serán más honestos contigo sobre tu idea. Haz muchas preguntas, entiende el porqué de sus respuestas. No dudes en buscar sus consejos y sugerencias de una forma constructiva, pero aunque yo también estoy dándote consejos, algo que aprendí a las malas es que aunque mucha gente te ofrezca su ayuda, tú eres el dueño del negocio y el responsable del éxito o fracaso del mismo. Si sabes qué es lo que funciona, tendrás las habilidades y conocimiento para sacar adelante tu empresa. Tú no eres las experiencias de los demás ni los talentos de los demás, tú eres único.

16. Aléjate de las personas negativas e ignora a las que no puedas evitar.

Hay una diferencia abismal entre una crítica constructiva hecha para tu crecimiento, y las palabras de alguien que rápidamente te dice que tu negocio fracasará, solo por su negatividad. Lo mejor que puedes hacer es analizar qué tiene sentido y qué no de lo que las personas te dicen, y ver si te están dando su opinión desde un lugar de miedo y fracaso, o uno de honestidad y experiencia. Mucho de lo que te dicen proviene de la personalidad del que lanza el comentario y no está relacionado con tu personalidad, sueños, producto o tu fe.

17. Sé flexible.

Según avanza el tiempo, y crecen las experiencias, aumentan las probabilidades de que tu idea original tenga que ser modificada. Ser capaz de adaptarse y cambiar algo conveniente para ofrecerle al cliente algo que desea, determinará si tendrás éxito o no de una forma positiva. Es tu responsabilidad buscar lo que funciona y dejarlo, y desechar lo que perjudica a tu negocio.

18. Asegúrate de que tus clientes paguen las cuentas.

Cerciórate de recibir el pago de tu producto o servicio con precios justos y adecuados. No permitas que se aprovechen de ti y determina un tiempo para que te hagan los pagos. Si tienes la posibilidad, considera aceptar tarjetas de crédito o tener la opción de que paguen directamente en tu sitio web.

19. Cuidado con las tarjetas de crédito.

Es muy común, sobre todo con las tarjetas de crédito, no analizar qué tasa de interés están dando. Hay que tener mucho cuidado porque estos gastos pueden llegar a consumir tus ganancias. Quedarte con la primera oferta no es una buena opción, debes buscar la mejor y solo aceptarla si tiene sentido y si se puede cubrir esa deuda fácilmente con las ganancias del producto que ofreces. Si necesariamente tienes que sacar una tarjeta, analiza bien tus necesidades personales. Mira si tiene un costo anual o si realmente estás ganando con tenerla. No la utilices para gustos o lujos, solo para extremas necesidades o emergencias. Si te sobra dinero después de pagar tus responsabilidades, no gastes lo que no tienes. Cubrir primero las necesidades es una decisión de sabios y de buenos administradores del hogar. A veces la decisión es fácil, pero los caprichos no te dejan ver cómo estas decisiones pueden llegar a afectar tu estabilidad y tu paz.

20. ¡Disfruta!

Celebra cada logro, trata de rodearte de personas que te produzcan felicidad, que tengan tus mismos valores y que se sientan alegres por ti. Disfruta tus procesos, haz locuras sanas. ¿Y por qué no, si la vida es corta?

Isaías 58:11, LBLA

«Y el Señor te guiará continuamente, saciará tu deseo en los lugares áridos y dará vigor a tus huesos; serás como huerto regado y como manantial cuyas aguas nunca faltan».

Epílogo:
Por encima de los obstáculos, ¡haz que pase ya!

Como te conté al inicio, desde pequeña vi mucha pobreza, personas pasando hambre y frío, y muchos indigentes —niños y mayores— viviendo en la calle. En mi inocencia no conocía que existían tantas razones por las que una persona podía llegar a estar así —como el consumo de drogas y las enfermedades mentales, emocionales y físicas—, y todas esas situaciones producían dolor en mi corazón. Pero lejos de que esto me paralizara, hacía que mi mente se pusiera creativa buscando oportunidades para ellos.

Sin entender a plenitud lo que pasaba, a mi corta edad me entretenía viendo avisos de diferentes negocios en la calle y me preguntaba cómo, con tantas posibilidades de crear algo emocionante, alguien prefería estar aburrido e incómodo en el suelo, exponiéndose a todo lo que supone no tener un techo seguro. Obviamente yo era solo una niña y en ese momento no entendía la responsabilidad, condiciones y esfuerzo que todo eso requiere, pero mi cabeza no dejaba de correr y crear ideas para que ellos utilizaran, en vez de estar pasando necesidades. Soñaba por soñar, porque la realidad es que no podía hacer nada, no solo por mi edad, sino porque sobre eso uno no tiene ningún control.

Pero hoy, desde mi edad adulta, puedo entender que ver tanta necesidad desde pequeña y que eso realmente me importara —porque debo decir que genuinamente sufría al ver a las personas así— despertó algo en mí que se reflejaría más tarde en mi vida. En mi interior se activó algo que hizo que aquella sensibilidad que en ese momento tenía como debilidad, se convirtiera en mi mayor fortaleza hoy.

El tiempo pasó y esa pequeña soñadora se convirtió en una joven emprendedora que desde que estaba en la secundaria se divertía haciendo negocios con el fin de recoger fondos para los planes que armábamos con mis compañeros de salón, sin necesidad de pedir dinero a nadie. Por ejemplo, para nuestro paseo de fin de año u otras actividades, animaba a mis compañeros a vender comidas o lo que se nos ocurriera. Hasta me lancé como candidata a la presidencia de la escuela, sin pena alguna de ir de salón en salón, exponiendo mi candidatura de una forma divertida. Aproximadamente en séptimo grado y terminando mi último año de escuela, hice mi primer negocio «en grande».

En aquel tiempo estaban de moda los bailes de rock en
español, a los que llamábamos «los zafarranchos», así que
junto con dos compañeros amadísimos, rentamos un local en
un edificio viejo para armar nuestro zafarrancho. Hicimos
volantes con mucha publicidad, compramos las bebidas
necesarias y productos para vender; conseguimos luces, música
y el equipo, el cual, con las mismas ganancias del negocio,
logramos tenerlo totalmente pago para los eventos. Hasta nos
inventamos actividades como «el hidrochorro», que era colgar
mangueras con huequitos muy pequeños que en medio de la
noche lanzaban agua alrededor del edificio, que como era de
concreto, no producía daños. La idea era buenísima, la gente
estaba tan feliz que llenábamos el lugar y con los resultados
recogimos bastante dinero con el que pudimos pagarlo todo,
incluyendo luces y reservas para el próximo evento, que era
algo muy difícil de conseguir, ya que éramos muy jóvenes.

Tiempo después, mi padre tomó un local como un
minimercado, una pequeña tienda, que manejamos entre mis
hermanas y yo. No duré mucho allí porque nuestros gustos,
opiniones e ideas eran muy diferentes y decidí irme a trabajar
en una tienda de ropa y un restaurante, donde mis opiniones
eran escuchadas. Me gustaba mucho mi trabajo, trabajaba
afuera y en los tiempos libres ayudaba en la tienda con mis
hermanas, hasta que mi familia decidió que era el momento
de mudarnos a los Estados Unidos.

Llegamos en el año 1998 sin saber nada de inglés. Empezamos a trabajar en un lugar de comida rápida y a estudiar el idioma. De ese primer trabajo en mi nuevo país salíamos con la cara llena de grasa, con calor de las parrillas, o mojadas de lavar platos, pero contentas de tener un trabajo. Después de eso tuve otros empleos, pero en mi corazón siempre estaba esa pasión por los negocios. Para mí era divertido y demasiado emocionante buscar y promover ideas locas y sanas. Me alegraba mucho cuando alguien quería poner un negocio, y de la nada y el miedo encontraban la valentía, la pasión y el riesgo, y les empezaba a ir muchísimo mejor que cuando tenían el trabajo anterior.

Mi primera experiencia emprendiendo en los Estados Unidos fue una pequeña tienda de productos naturales, pero luego de esto tomé la decisión de no tener negocios donde yo tuviera que comprar productos para venderlos, porque la inversión era alta y el riesgo mayor. Entonces decidí buscar un negocio de servicios y logré vender bien el negocio que había construido, recuperando todo lo invertido más ganancias.

Así fue que decidí sacar mi licencia para trabajar en bienes raíces. Quería trabajar con la gente, y mi sueño era tener propiedades múltiples, totalmente pagadas, sin hipoteca, y retirarme con las rentas. En ese momento no sabía que Dios me multiplicaba en abundancia todo lo que algún día perdí, y que mi sueño también se multiplicaría como inversionista. Por muchas circunstancias personales me mudé a Miami y allí tuve que empezar otra carrera, esta vez en el negocio de seguros.

A los seis meses de estar en Miami, conseguí un trabajo en el que me iba muy bien, pero antes de empezar le dije al dueño que trabajaría con él solo por un tiempo, pero que, a cambio de la experiencia que obtendría, yo le prometía subir los números en ventas y lo logré. Incluso sin experiencia, utilizando todos los métodos reflejados en este libro. Me puse una meta y la conseguí.

Sin embargo, a nivel personal las cosas no iban tan bien como los negocios, y después de mucho dolor, tomé la decisión de regresar a Orlando a estar el mayor tiempo posible con mi madre, que estaba muriendo de cáncer. Ese mismo mes murió en mis brazos, vi cómo sus órganos se fueron apagando uno a uno, hasta que, finalmente, su alma se fue. Para mí fue un regalo poder tenerla a solas, abrazada en ese momento, muchas personas que esperaban el último momento, salían y entraban, pero en su último suspiro Dios me permitió estar ahí. Fue una muerte que nos separó físicamente, pero que me permitió decirle lo mucho que la quise y lo agradecida que estaba por haberme criado. Fue un momento muy difícil, pero sabía que no iba a sufrir más con tanto dolor y cuando me daba tristeza y la extrañaba mucho, mi solución era imaginarla llena de paz, amor, plenitud y alegría, con los mejores sentimientos al lado de Dios, y eso me daba paz.

Después de su muerte, yo estaba de nuevo empezando de cero, sin trabajo y llena de dolor, además con un compromiso adquirido con la anterior empresa con el que tenía que cumplir. No solo había perdido a mi madre, sino que también había atravesado un divorcio en el que perdí mi matrimonio, a mi otra familia, a muchos que decían ser mis amigos, y todos los bienes que había conseguido hasta el momento. Me sentía sola, caminando con el mundo encima. En ese momento solo tuve a Dios quien no me dejó caer, quien me ponía las personas correctas para ayudarme y para yo ayudar, y me daba creatividad para mi trabajo. Al mismo tiempo, esa soledad me estaba ayudando de una forma muy positiva a empezar mi negocio y pude cumplir con las personas que me dieron la oportunidad de trabajar porque dupliqué la producción de ventas como lo prometí.

Pasado el año de mi compromiso laboral, renuncié y ya tenía todo para abrir mi propia oficina. En medio de una tristeza profunda, encontré la forma de distraer mi mente y me enfoqué en el trabajo, al tiempo que sorteaba más obstáculos de lo que nunca me habría imaginado, que tendría que enfrentar. Pero también, paralelamente a ese momento de quebranto, vivía una de las mejores decisiones que pude tomar: abrir mi propio negocio.

Quiero contarte algo maravilloso que sucedió cuando menos lo esperaba:

Cuando estaba donando mi tiempo en un noticiero cristiano en el que brindaba consejos financieros para ayudar a la comunidad, llegó un invitado, un pastor, y me dijo: «Tengo una profecía para ti: "No te preocupes, hija mía, que todo lo que perdiste una vez, te lo voy a multiplicar más de tres veces, y cruzarás fronteras para enseñar de mí"». Y en frutos me lo multiplicó diez veces y más, como una de las historias contadas anteriormente. Dios siempre buscaba la forma de levantarme y hacerme sentir que no estaba sola. ¿Cómo no voy a amar a Dios intensamente? ¿Cómo no voy de rodillas a querer trabajar para Él? ¿Cómo no le voy a pedir que me ilumine y me utilice para ayudar a otros?

Gracias al ahorro de dinero para el futuro y las bendiciones financieras de Dios, pude abrir mi negocio desde el 2008, el cual todavía sigue en pie. La oficina pudo bendecir a otros con buenos salarios que ayudan a que sus familias puedan estar mejor.

Hoy Dios me ha dado muchísimo más de lo que perdí, no solo financieramente, sino también con una familia hermosa conformada por un hombre lleno de amor para mí y un hijo amado y maravilloso que no tenía antes. Dios me cambió y multiplicó todas las amistades que perdí, y sanó mi corazón. Ese es el amor que yo siento, lleno de muchísimo agradecimiento y amor para Él.

Siento que para poder ayudarte con tus finanzas, te tengo que ayudar a darte cuenta de que el dinero, la prosperidad y las cosas buenas vienen de Dios. Si piensas que el dinero viene del mal, te sentirás culpable y el único afectado serás tú, no yo, porque yo estoy convencida de que el dinero y la abundancia viene de Él, lo sé no por palabras e imaginaciones y ya, sino por frutos y hechos reales que yo he vivido. Los consejos plasmados en este libro han estado funcionando con mi familia, con mis negocios, con el negocio de mis amigos que siguen este camino, y también te puede funcionar a ti, si recibes en abundancia y aceptación todo lo que Dios tiene para ti.

Amigo o amiga que me lees: Sí, se puede salir adelante, y empezar de cero si fuese necesario. Espero que hayas disfrutado esta obra que fue hecha con todo mi corazón para ti y con la intención de que todas estas experiencias te puedan servir para un futuro. Espero que tu vida esté llena de mucha prosperidad, amor y bienestar, y que sepas que si tienes a Dios en tu corazón, siempre estarás bien, incluso lo malo que te pase, será para tu bien.

No pierdas la fe, sigue allí, haz lo que tengas que hacer para superar los obstáculos de la vida, si actúas de buena fe, vas a estar bien. Siempre ten en mente que la vida es temporal y que tenemos un propósito, haz valer tu vida, entiende que fuiste creado para algo importante, y por eso pasas por lo que pasas y tienes lo que tienes.

Por favor, cuídate mucho, y si crees que a alguien le puede ayudar, comparte mi experiencia. Yo vi la bendición financiera de Dios y tú también la puedes ver. Continúa adelante con tu sueño, rodéate de personas adecuadas, sigue todos los consejos que te he dado en este libro y toma una decisión que cambie tu vida. No lo hagas mañana, no esperes otra señal, este es el momento. **¡Haz que pase ya!**

Agradecimientos

Quiero dar gracias porque sé que las lágrimas, las alegrías y todas las bendiciones que Dios me dio con tanto amor no serán en vano y porque a través de este libro se tocarán muchísimas vidas que necesitan ayuda para salir adelante y recibir prosperidad.

Agradezco especialmente a mi amado José Rodríguez, que con tanta paciencia me ha apoyado en mis locuras, y a mi hijo Diego Rodríguez, que fue mi motivación para dejar un legado con este libro como una guía de amor para él y para cualquier persona a las que sus páginas toquen.

Agradezco a mis padres porque aunque ya no viven, gracias a ellos soy quien soy; y también a mi abuela, que desde pequeña me enseñó de Dios y su poder, porque sin esas bases yo no hubiera podido salir adelante en medio de los obstáculos.

Agradezco a los lectores porque sin ellos este libro no tuviera validez, a todas esas personas que me apoyaron en este reto, a aquellos que me motivan y que me siguen apoyando.

A todos los empresarios que compartieron sus historias. Al apoyo en diseño y producción de Francisco Becerra; a Elsa

Ilardo y Gisella Herazo por el trabajo de edición, y a la Coach Financiera, Digna Paulino, por tomar el tiempo para prologar mi libro.

Pero, por encima de todo, quiero agradecer y dedicar este libro a Dios, por nunca abandonarme, porque soy su creación. ¡Gracias, Señor!

Acerca de la autora

Leidis Bedoya nació en Medellín, Colombia, y en 1998 viajó para vivir permanente en Florida. Es la segunda de tres hermanas y el fruto de unos padres que dejaron como ejemplo su lucha, ánimo, positivismo, y entrega. En la actualidad vive con su familia en Lake Mary, Fl., Ellos son su mayor motivación para salir adelante.

Leidis cuenta con más de veinte años de experiencia como empresaria. Es CEO de *Florida Protective Insurance, Fl Protective Investments, Haz que pase ya Llc*, entre otras empresas. Empezó su primer negocio a los dieciséis años, y después de mucha experiencia empresarial, ayudar a muchos a comenzar sus propios emprendimientos, y trabajar con la comunidad, terminó su grado con una especialización en Negocios, y su certificación internacional en Coaching Empresarial en UCF, añadiendo un toque de maestría a las estrategias y consejos que comparte en este libro. No solo es una profesional con un impresionante conjunto de habilidades, sino también una apasionada miembro de la comunidad, dedicada a misiones altruistas.

Como agradecimiento por tantas bendiciones, Leidis disfruta envolverse en proyectos de ayuda comunitaria, por lo que es cofundadora de *Love for Africa event*; ha participado en proyectos como *Real Life Projects, Feed the Homeless, Missionaries of the Poor,* y *Traveling to Africa on the Mission.* También tiene un canal en YouTube donde brinda consejos para ayudar a la comunidad, es creadora, coach empresarial y productora en trabajos sociales.

Leidis no solo ha creado *Haz que pase ya* para proporcionarte herramientas prácticas para el éxito empresarial, sino también para inspirarte a través de lecciones basadas en la fe y la esperanza. Leidis Bedoya te invita a un viaje divertido y transformador para superar obstáculos, hacer crecer tu negocio y vivir la vida que siempre soñaste. ¡No te pierdas la oportunidad de aprovechar sus enseñanzas y transformar tu negocio y tu vida hoy mismo!

Información de contacto

www.hazquepaseya.com

Haz que pase ya LLC

2500 W Lake Mary Blvd Suite 107

Lake Mary, Fl., 32746

Contraportada

¡*Como sacar tu negocio adelante en medio de los obstáculos!*

Este libro no es solo una guía de negocios; es un faro de motivación cristiana diseñado para encender tus sueños y llevarte a nuevas alturas en tu emprendimiento.

Desde sus roles como inversionista, licenciada profesional en bienes raíces y seguros, hasta CEO de múltiples compañías, la autora de esta obra comparte sus valiosos conocimientos para ayudarte a comenzar, continuar y vivir plenamente a través de tu negocio. Sus más de tres décadas de experiencia empresarial respaldan cada página de este libro.

A través de una narrativa envolvente, Leidis transfiere sus secretos exitosos adaptados para triunfar en cualquier parte del mundo. Su grado con una Especialización en Negocios y su Certificación Internacional en Coaching Empresarial añade un toque de maestría a las estrategias y consejos que comparte. La autora no solo es una profesional con un impresionante conjunto de habilidades, sino también una apasionada miembro de la comunidad, dedicada a misiones altruistas.

¡Haz que pase ya!, no solo te proporcionará herramientas prácticas para el éxito empresarial, sino que también te inspirará a través de lecciones basadas en la fe y la esperanza.

Leidis Bedoya te invita a un viaje divertido y transformador para superar obstáculos, hacer crecer tu negocio y vivir la vida que siempre soñaste.

¡No te pierdas la oportunidad de aprovechar sus enseñanzas y transformar tu negocio y tu vida hoy mismo!

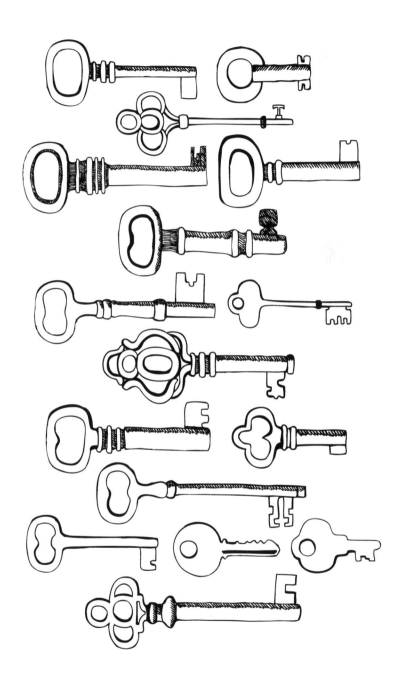

Made in the USA
Columbia, SC
21 March 2024

33150395R00146